婴儿学习环境评量表

Infant/Toddler Environment Rating Scale

-Revised Edition
(ITERS-R)

修订版

作者： Thelma Harms

Debby Cryer

Richard M. Clifford

译者： 汪光珩　周 欣

华东师范大学出版社

·上海·

PECERA
Hong Kong

图书在版编目(CIP)数据

婴儿学习环境评量表/(美)哈姆斯等著;汪光珩,周欣译. —修订本. —上海:华东师范大学出版社,2014.12
ISBN 978 - 7 - 5675 - 2886 - 4

Ⅰ.①婴… Ⅱ.①哈…②汪…③周… Ⅲ.①幼儿园—教学环境—评定量表 Ⅳ.①G617

中国版本图书馆 CIP 数据核字(2014)第 307689 号

婴儿学习环境评量表(修订版)

作　　者	希尔玛·哈姆斯(Thelma Harms)
	黛比·克莱尔(Debby Cryer)
	理查德·M·克利福德(Richard M. Clifford)
译　　者	汪光珩　周欣
项目编辑	彭呈军
审读编辑	周晴云
责任校对	高士吟
装帧设计	崔楚

出版发行　华东师范大学出版社
社　　址　上海市中山北路 3663 号　邮编 200062
网　　址　www.ecnupress.com.cn
电　　话　021 - 60821666　行政传真 021 - 62572105
客服电话　021 - 62865537　门市(邮购)电话 021 - 62869887
地　　址　上海市中山北路 3663 号华东师范大学校内先锋路口
网　　店　http://hdsdcbs.tmall.com

印刷者　苏州市工业园区美柯乐制版印务有限责任公司
开　　本　787×1092　16 开
印　　张　7.75
字　　数　170 千字
版　　次　2015 年 10 月第 1 版
印　　次　2023 年 11 月第 11 次
书　　号　ISBN 978 - 7 - 5675 - 2886 - 4/G·7808
定　　价　23.00 元

出 版 人　王 焰

目　录

前言（原修订版）

《婴儿学习环境评量表（修订版）》(ITERS - R)的新版本并非旧版的重写，它保留了旧版的所有项目和指标，另外增加了一些有用的内容，例如：

- 已经放在我们网站上并被大家广泛使用的附加说明
- 一份全新的扩充版评分表，里面包括一些有助评分的注意事项和表格

新版本的面世回应了量表的许多忠实使用者的要求。他们把附加说明剪贴到量表上，觉得有助于建立和保持量表使用的准确性。至今我们已在美国多个州的培训班采用过扩充版的评分表，证明它无论对经验丰富或刚入门的评分员来说都很有用。我们希望 ITERS - R 的添加内容能令量表使用起来更为简便。

我们衷心感谢丽莎·沃勒(Lisa Waller)协助开发扩充版的评分表。非常感谢特蕾茜·林克(Tracy Link)为新增注释的工作提供帮助，对伊丽莎·艾伦(Elisa Allen)干练地把增加的内容整合到量表的新版本中也表示谢意。一如既往，我们专业评分员同事凯茜·莱莉(Cathy Riley)、丽莎·沃勒、克丽丝·李(Kris Lee)、特蕾茜·林克、伊丽莎·艾伦(Elisa Allen)以及其他许多量表使用者的回馈也至为重要。

有关《婴儿学习环境评量表（修订版）》的规则详细说明，请参阅 *All About the ITERS - R* (2004) 一书 (D. Cryer, T. Harms, C. Riley. Lewisville, NC: Pact House Publishing, ISBN - 10:0 - 88076 - 615 - 8)。

序

自 20 世纪 70 年代以来,中国的经济成长,在全球创造了自英国工业革命以来的一个奇迹。展望未来百年,这个以中文为共通语的国家,将会是推动世界经济与社会发展的重要引擎。全球社会未来的素质,以至全球人与人、人与自然能否和谐共处,在相当大的程度上,将取决于这个拥有全球五分之一人口的中文国家的人文素质。而这个国家的人文素质,除了奠基于整体的人口教育外,亦要视乎其幼儿教育的品质水平。众所周知,幼儿期乃重要的学习和发展阶段,是奠定儿童日后学习基础的黄金时期。随着社会的进步,很多先进国家已日益重视幼儿教育的发展,并为此投放更多资源。

ECERS 系列评量表的面世,对促进幼儿教育的发展有莫大裨益。ECERS 系列评量表,能有效地将环境品质概念转化成具体可观察的评量架构,提供了一套统一标准,让教学及研究单位评定幼儿园的教学环境的品质,成功地打通了学者、辅导者与教师三方之间对幼教品质的沟通门径;也对关心幼儿成长的家长——幼儿成长的第一责任人,有一个权威的实质参考。

ECERS 系列评量表已被广泛应用了十多年,自发表以来,先后翻译成意大利文、德文、葡萄牙文、西班牙文及冰岛文等多种语言,在世界各国得到广泛应用;它亦是欧洲最大的纵贯性研究,透过追踪 3 000 名 3 岁至 16 岁儿童,以了解学前教育的成效,具有良好的信度和效度。

香港太平洋区幼儿教育研究学会成功取得 ECERS 系列评量表在全球的中文版(繁、简体字)翻译权及出版权,借以推动中文社会的幼儿教育环境品质评估达致国际标准,实在让人鼓舞。ECERS 系列评量表,亦是一套很有效的自我评价和自我发展的工具,其涵盖范围相当广泛,分项仔细,能让幼儿教育工作者根据相关标准,不断自我完善,促进幼儿教育的自我品质提高。

ECERS 系列评量表源自西方的先进国家,对东方社会来说,或许会出现一些文化与社会的差异,尤其中国人口众多,各地自然条件和社会经济等差异相当大,我们可依据社会环境的实际情况,对 ECERS 评量表作出微调及修订。期望在幼教学者、专家、教师、关心幼儿成长的家长及其他关心幼儿的人士的齐心协力下,华语社会的幼儿教育水平得以继续提高,为全人类素质的提升作出贡献。

陈保琼博士
太平洋区幼儿教育研究学会会长
太平洋区幼儿教育研究学会(香港)创会主席

序

在涉及学前教育的话题时，人们关注最甚的问题莫过于学前教育的品质，包括品质标准和品质监控等问题，换言之，人们最关注的是如何为社会、家庭和儿童提供优质的学前教育。

对学前教育品质的关注，必然涉及评价，评价的依据是有某些价值体系支撑下的品质标准，评价的过程需要工具和方法，评价的结果能被用于调整与改进教育。

早在 20 世纪 80 年代，我就在美国见到过许多幼儿教育机构将《幼儿学习环境评量表》(ECERS) 用作品质评价的工具；90 年代末，该量表经由修订，其影响力更大，应用范围更广。

在我国，对幼儿园教育品质评价的研究起步较晚，也不很成熟，幼儿园品质评价尚缺乏效度和信度，这样的状况不利于幼儿园教育品质的改进和提升。数年前，太平洋区幼儿教育研究学会(PECERA)主席陈保琼博士与我谈及她愿意在中国内地和香港地区同时引进《幼儿学习环境评量表（修订版）》(ECERS－R)、《幼儿学习环境评量表——课程增订本》(ECERS－E)和《婴儿学习环境评量表（修订版）》(ITERS－R)，并译成中文出版，我给予了积极的回应，并欣然答应协助联系在内地的出版事宜。在我看来，这三本在国际范围内具有影响力的书的出版是非常有价值的，它们能为中国的幼儿教育研究者、实践者和评估者提供可以参考和运用的品质评价工具。

ECERS－R、ECERS－E 和 ITERS－R 的制定和修订经由了一个漫长的过程，这是一个基于研究的过程，是一个经过实践检验的过程，具有很高的效度和信度。它们的操作性较强，容易使用，不仅可用于外部评价和研究，也可用于幼儿园园长和教师进行自我评价。一些跨文化的研究曾报告，这些量表并没有因为文化差异而影响其效度和信度。在中国内地和香港地区，有一些学者已经或者正在参照这些量表进行他们的研究。当然，在借鉴和运用这些评价量表时有可能会因为文化、地域、经济、条件等而产生一些新的问题，但是这并不影响它们所具有的价值。

如今，ECERS－R、ECERS－E 和 ITERS－R 的中文版将在中国内地和香港地区正式出版。我期望中国内地和香港的幼儿教育工作者都能从陈保琼博士的慧眼和工作中受到裨益，对于提升幼儿教育的品质作出贡献。

朱家雄

华东师范大学终身教授
PECERA 中国地区主席
中国教育学会学术委员、常务理事

序

承蒙香港耀中教育机构校监、太平洋区幼儿教育研究学会(香港)主席陈保琼博士的信任,邀请我为《幼儿学习环境评量表》系列出版品的中译本作序。

当前,我国的幼儿教育得到了全社会和政府前所未有的高度重视和财政支持,幼儿园的建设与幼儿入园率快速增长,创下了历史最高数据。但是,人们对高质量幼儿教育的需求却处在"饥渴"状态。数以亿计的家庭、数以百万计的幼儿园都在追求高质量的幼儿教育,然而,对什么是"高质量"却产生了极为混乱的认识,并由此产生出种种错误的教育方法,甚至有些做法很令人担忧。

2001年《幼儿园教育指导纲要(试行)》的颁布引领了教育观念的更新和实践层面改革的探索。随着改革的深入,如何在教育过程中具体满足幼儿个性化发展需求,如何创设一个适宜的教育环境,如何与儿童有效地互动等深层次的专业挑战,使很多教师甚至理论工作者感到茫然。综观问题所在,我们发现,只有宏观层面正确的教育观念,没有微观层面具体的教育措施、评价指标、评价与改进的方法等,就不可能将正确的观念落实在具体的教育之中。因此,我们急需能在实践层面研究和指导改善教育质量的工具。

处在这样一个阶段,太平洋区幼儿教育研究学会与美国哥伦比亚大学师范学院出版社签约,取得了《幼儿学习环境评量表》系列在全球的中文版的翻译权及出版权,并将分别在中国内地及香港地区出版《幼儿学习环境评量表》,即 ECERS (*Early Childhood Environment Rating Scale*)系列评量表的简体版及繁体版。ECERS 系列评量表包括:ECERS - E 幼儿学习环境评量表(课程增订本,2010);ECERS - R 幼儿学习环境评量表(修订版,2005);ITERS - R 婴儿学习环境评量表(修订版,2006)。

ECERS - R(幼儿学习环境评量表——修订版)是美国北卡罗来纳大学弗兰克·波特·格雷厄姆(Frank Porter Graham,简称 FPG)儿童发展研究所的希尔玛·哈姆斯教授(Thelma Harms)等人研发的,1980 年出版第一版,1998 年出版修订版,即 ECERS - R(*Early Childhood Environment Rating Scale-Revised*)。该量表的主要目的是评估幼儿学习环境的质量。ECERS - R 由 7 个子量表共 470 个评价指标组成。7 个子量表分别是空间和设施(Space and Furnishings)、个人生活常规(Personal Care Routines)、语言—推理(Language-Reasoning)、活动(Activities)、互动(Interactions)、机构活动的结构(Program Structure)、家长和教师(Parents and Staff)。已有研究表明,ECERS - R 具有良好的信度和效度,而且它的信度和效度没有因为文化差异而受到影响。美国几乎所有全国规模的幼儿研究课题都采用 ECERS - R 作为研究工具。在良好的信度和效度的保障下，《幼儿学习环境评量表》自发表以来，先后被翻译成意大利、德国、葡萄牙、西班牙等国文字，在世界各国得到广泛应用。中文版的 ECERS－R 也于 2006 年在中国台湾地区出版。

ECERS－E，即《幼儿学习环境评量表（课程增订本）》，是由牛津大学的 Kathy Sylva 教授、伦敦大学教育研究所的 Iram Siraj-Blatchford 教授及伦敦大学教育研究所的 Brenda Taggart 教授于 2003 年出版的质量评估工具。ECERS－E 最初是为了在英国进行的国家级研究项目"提供有效学前教育"而设计出来的。该项目是欧洲的最大纵贯性研究，通过追踪 3 000 名 3 岁至 16 岁的儿童以了解学前教育的成效。同时，ECERS－E 也旨在补充著名的《幼儿学习环境评量表（修订版）》（ECERS－R）。ECERS－E 特别着重于"读写能力"、"数学"和"科学与环境"及幼儿教室布置的"多样性"等的核心课程领域。因此，该工具可用作评估课程内容的质素，包括教学法及旨在促进幼儿认知发展的领域。英国进行的国家级研究项目"提供有效学前教育"（EPPE）发现，ECERS－E 的评分可以预测儿童在学术上取得的进展（例如：语言和读写能力、算术能力、非语言的推理能力）。目前英国很多政府部门利用 ECERS－E 来改善托儿所和幼儿学校的水准。

ITERS－R（婴儿学习环境评量表）是根据 ECERS－R 修订的，保留了原有的 7 个子量表，包括空间和设施、活动、互动、机构活动的结构等方面，作为评估婴幼儿从出生至 30 个月（2.5 岁）的评量表。

各套量表指标的背后是大量的研究和海量文献的支持，对指标和计分的注释，以及质的评级都是针对教学法、教学资源、课程和环境而设置的，深度涉及幼儿园课程、教学、评价的诸方面，它不仅提出指标，更提供了方法；不仅是教育测量的工具，更是研究和指导改善教育质量的工具。我相信，这本书在中国内地的出版必将对当前幼儿教育的改革，特别是如何获得高质量的幼儿教育，发挥专业引领的积极作用，必将成为广大幼教工作者的良师益友。

最后，我想应衷心感谢太平洋区幼儿教育研究学会和陈保琼博士，她为本书在大陆和香港的出版做出了极大的努力，不仅成功地争取到翻译权和出版权，还组织了出色的翻译工作，使本书以极高的专业水准、流畅而准确的文字、通俗而亲切的文风面世。衷心感谢华东师范大学出版社积极地承接，并高质量地完成了本书的编辑和出版工作。

朱慕菊

国家基础教育课程教材专家工作委员会秘书长

鸣谢（原修订版）

多年以来，来自美国、加拿大，以及欧洲、亚洲的众多同行在他们的研究、课程改进以及督导等工作中使用《婴儿学习环境评量表》，并慷慨地与我们分享了他们的见识，充实了我们的工作。这种与量表使用者平等公开的研讨促使我们更深入地思考，使我们受益匪浅。我们要特别感谢回复问卷调查的人为我们修订《婴儿学习环境评量表》提供了意见。我们仔细阅读并考虑了每一条建议，尽管无法亲自向大家逐一表示感谢，但希望你们知道诸位的指导在我们思量各项修订时何其重要。我们要特别感谢：

- 参加了在美国教堂山举办的关于融合教育与多元化问题焦点小组的同仁：旺达·弗格森（Wanda Ferguson）、阿黛尔·莱（Adele Ray）、特丽萨·苏尔（Theresa Sull）、马蒂·布朗（Marti Brown）、玛丽·贾妮诺（Marie Gianino）、塔尼娅·克劳森（Tanya Clausen）、安妮·卡佛（Anne Carver）、艾米·霍葛兰德（Amy Hoglund）、柯万亚·史密斯（Quwanya Smith）、贝丝·亚哈瑞尔斯（Beth Jaharias）、莎拉·赫维茨（Sarah Hurwitz）、瓦莱丽·华莱士（Valerie Wallace）、斯蒂芬妮·瑞德利（Stephanie Ridley）、贝蒂·德·皮纳（Betty De Pina）、薇琪·科尔（Vicki Cole）、梅丽莎·米勒（Melissa Miller），以及吉赛尔·克劳福德（Giselle Crawford）。
- 参与搜集实地测试资料，并在测试后提出有价值的评论的观察员：凯茜·莱利、丽莎·沃勒、克丽丝·富尔克森（Kris Fulkerson）、梅根·波特（Megan Porter）、金·温顿（Kim Winton），以及丽莎·安·共森（Lisa Ann Gonzon）。
- 干练地组织并带领实地测试的梅根·波特。
- 特别感谢给予我们详细回馈、宝贵建议的凯茜·莱利、丽莎·沃勒、克丽丝·富尔克森，以及梅根·波特。
- 伊森·费因希尔福（Ethan Feinsilver），及其助手玛丽·鲍德温（Mary Baldwin），感谢他们在准备本书初稿过程中对细节的关注。
- 师范学院出版社我们的编辑苏珊·利迪科特（Susan Liddicoat），感谢她的耐心和决心。
- 大卫·加德纳（David Gardner），感谢他对实地测试资料的细心分析。
- 弗兰克·波特·格雷厄姆儿童发展研究所的研究员和幼儿中心的员工，感谢他们对我们工作的持续支持。
- 罗利—杜伦—教堂山社区的幼儿中心员工，感谢他们允许我们在他们的教室中进行观察，在我们的工作中扮演了重要的角色。
- 弗兰克·波特·格雷厄姆儿童发展研究所主任唐·贝利博士（Dr. Don Bailey），感谢他拨出资金，支持婴儿学习环境评量表修订焦点小组。
- A. L. 梅尔曼家庭基金会（The A. L. Mailman Family Foundation）执行理事鲁巴·林奇（Luba Lynch）及主席贝蒂·巴迪阁（Betty Bardige），感谢他们对实地测试以及套装录影训练教材的资助，特别感谢他们对我们的信任及肯定我们工作的价值。

希尔玛·哈姆斯
黛比·克莱尔
理查德·M·克利福德
弗兰克·波特·格雷厄姆儿童发展研究所

鸣谢（中文版）

《幼儿学习环境评量表》系列（*Early Childhood Environment Rating Scale*），简称 ECERS 系列，是一套具国际标准、拥有高效度和信度的幼儿教育水平量度工具。评量表自发表以来，已翻译成多国语言，在世界上 20 多个国家广为应用。

ECERS 系列量度的指标涵盖幼儿学习环境设施、教师素质、课程设计、学校行政以及家校合作等多个领域，内容广泛，分项细致，是幼儿教育工作者用以检核、力求自我完善，使幼教素质不断攀升的良好工具。太平洋区幼儿教育研究学会（香港）主席陈保琼博士有鉴于此，遂建议将之翻译成中文版本，广传给世界各地华人社会，供从事幼儿教育的人士及家长参考，借以获取滋养，并让华人社会的幼教环境素质持续完善，提升至国际水平。翻译工作在太平洋区幼儿教育研究学会（香港）取得 ECERS 系列评量表的全球中文版（繁、简字体）翻译权和出版权后随即展开。

《幼儿学习环境评量表》包括多个系列。翻译小组拣选了其中三个系列翻译成中文，包括：《幼儿学习环境评量表（课程增订本，2010）》，简称 ECERS - E;《幼儿学习环境评量表（修订版，2005）》，简称 ECERS - R；《婴儿学习环境评量表（修订版，2006）》，简称 ITERS - R。ECERS 系列评量表中文翻译版得以付梓，端赖下列团队与人士付出的努力，在此致以衷诚感谢：

感谢

太平洋区幼儿教育研究学会（香港）主席陈保琼博士，致力于与 ECERS 系列评量表的原作者、幼教界专家及出版社紧密联系，成功取得全球中文版的翻译权和出版权。

陈丽生博士，主持 ECERS 系列评量表培训研习课程，领导学员实地观察、访谈和讨论。让学员对优质教育和评分概念有更清晰的认识，并透过问卷获取意见，作为日后从事编译和研究工作的准备。

秘书李贝儿女士与太平洋区幼儿教育研究学会（香港）办事处的同事不厌繁琐，负责统筹、联系、协调和辅助一切文书工作，使整个编辑工作能顺利完成。

香港基督教服务处、香港圣公会福利协会、基督教香港信义会、东华三院、香港明爱、耀中教育机构等机构辖下幼儿教育单位同事全力支持，提供实地观察场地，参与研习，并回应问卷及给予建设性的意见。

感谢

张礼六女士将已选取的部分中文译本再反译成英文。许娜娜博士、陈颖怡女士、温玉婷女士、周朗羚女士、陈宛彤女士校阅中、英文译稿，以对应中文译本的准确度。

感谢林茵茵博士、张文智先生、袁淑萍女士和他们的团队为译本精心设计符合主题的精美封面。

深切感谢编辑组同事：总编辑梁后养先生，以简明通畅的文字翻译、修润和校对 ECERS 整套系列的文字。编辑小组成员、李丽云博士、黄佩丽女士、陈江小慧女士、陈刘燕琼女士、刘有莲女士、梁志坚女士在百忙中提供宝贵意见，积极参与义务翻译和校对工作。

期待华语社会的幼儿教育素质在 ECERS 系列的启迪下，在自我完善的旅途中不断跃进。

朱邓丽娟

太平洋区幼儿教育研究学会(香港)

《幼儿学习环境评量表》系列编辑小组

《婴儿学习环境评量表(修订版)》(ITERS－R)简介

　　《婴儿学习环境评量表(修订版)》(ITERS－R)是对《婴儿学习环境评量表》(ITERS，1990)原先版本的彻底修订。本量表与另外三个量表同属一个系列,具有相同的结构和评分系统,但在要求上有很大差异,因为每个量表评量一个不同的年龄组别及/或其发展环境的类型。ITERS－R沿用了"环境"的广义界定,意思包括空间的组织、互动、活动、作息安排,以及为家长和教师提供的设施。本量表包含39个项目,构成七个子量表,分别为:空间与设施、个人日常照料、聆听与说话、活动、互动、课程结构、家长与教师,用来评量为从出生到30个月大的婴幼儿而设的课程。这个阶段的孩子无论在身体、心理,还是情绪上都是最柔弱的。因此,ITERS－R中的项目评量婴幼儿教育环境中的卫生和安全设施、通过语言及活动所提供的适切刺激,以及友善、具鼓励性的互动。

　　当然,由于每一个幼儿都要有大量个别化的关注才能够茁壮成长,因此想让集体照料的环境满足每一个婴幼儿的需要是极具挑战性的。家庭所承担的经济压力使婴幼儿接受家庭以外集体照顾的情形与日俱增。因此,我们日益发觉必须面对挑战,为幼儿提供能促进其全面发展的教育环境。长久以来,每日为幼儿提供他们所需的培养和刺激已成为专业早期教育工作者的个人挑战。因此,一套用以评量活动过程,并对观察到的课室活动进行量化的全方位、可靠而有效的工具,对提升婴幼儿教育的品质甚为重要。

　　为了界定和测量活动品质,ITERS－R主要利用以下三方面的资料:几个相关领域(健康、发展与教育)的研究结果、专业人士对现行最佳教育实践的观点,以及现实生活在婴幼儿教育环境中所产生的实际制约。资料认为有些条件对儿童在课程中的表现及其未来发展起重要作用,

这些条件便成为ITERS－R具体要求的根据。本量表的指导原则,与我们所有的环境评量表一样,都聚焦于我们所知的对儿童有益的事情。

修订过程

　　量表的修订主要利用了以下四方面的资料:(1)儿童早年发展的研究以及关于照顾环境对儿童健康与发展的影响的研究成果。(2)原版ITERS与其他针对同龄婴幼儿而设的评价工具以及阐述品质的文献的内容比较。(3)通过发放的及网络上的问卷收集到的原版量表使用者的回馈,也包括一个熟悉原版量表的专家焦点小组的意见。(4)ITERS两年以上密集使用者的反馈,使用者包括两位ITERS的作者,及超过25位"美国北卡罗来纳州等级认定计划"训练有素的评估人员。

　　课程品质的研究数据让我们知道各项目的分数范围、相对难度及效度。内容分析帮助我们找出需要考虑增删什么项目。而对修订工作更为有用的指引来自实地直接应用量表者的反馈。曾经使用原版量表进行研究、监督及课程改善的美国、加拿大和欧洲的同行根据他们的使用经验给我们提出了非常有价值的建议。焦点小组则专门就如何使修订版更好地回应包容性和多元性的问题进行了研讨。

修订内容

　　尽管《婴儿学习环境评量表(修订版)》保留了原版的基本格式和内容,但仍作出了以下变更:

1. 为了要在评分表上能以Y(是)、N(否)或NA(不适用)给指标评分,每个项目每个水平下的指标均有编号。这样可以更准确地反映观

察到的每个项目的优点和弱点。

2. 删除了一个项目水平 3(最低标准)中的负面指标。现在负面指标只在水平 1(不足)中出现;水平 3(最低标准)、水平 5(良好)和水平 7(优良)都只有正面指标。这样便消除了原版计分法的唯一例外。

3. 经过扩充的注释能提供更多资料,有助于提高评分的准确性,以及阐释特定项目和指标的用意。

4. 由于原版量表使用者建议增加指标而非增加子量表,因此我们在量表中增加了指标和举例,使得项目更具包容性和文化敏感度。

5. 几个子量表增加的新项目包括:
   - "聆听与说话":项目 12."帮助儿童理解语言";项目 13."帮助儿童使用语言"。
   - "活动":项目 22."自然/科学";项目 23."电视、录影及/或电脑的使用"。
   - "课程结构":项目 30."自由游戏";项目 31."集体游戏活动"。
   - "家长与教师":项目 37."教师的连续性";项目 38."教师督导与评价"。

6. 为了避免重复,子量表"空间与设施"中的一些项目现已合并;子量表"个人日常照料"中的项目 12."卫生措施"和项目 14."安全措施"亦已删除。研究显示,由于这些项目评估的是规则,因此得分永远较高,而评估实践的相应项目得分却低得多。修订版量表旨在评估过程的素质,因此应该更加注重实践。

7. 为了更好地反映真实生活中卫生措施的不同水平,子量表"个人日常照料"中一些项目的评分标准变得更为渐进,包括:项目 6."入园/离园"、项目 7."正餐/点心"、项目 9."换尿片/如厕"、项目 10."卫生措施"和项目 11."安全措施"。

8. 一个项目占一个页面,项目后均有注释。

9. 较难观察到的指标还附以问题举例。

信度和效度

正如"简介"所述,ITERS-R 是已被广泛使用和记录的原量表的修订版,是一个评量工具系列的其中一员。美国以及其他一些国家的重要研究项目都采用了这批工具,还有最初的《幼儿学习环境评量表》(ECERS)及其修订版(ECERS-R)。大量的研究记录了这些量表的信度和效度。效度可从它们与其他评量工具的比较中见出,亦可从它们与儿童在不同教育环境下的发展效果的关联性中获得证明。

特别要指出的是,ECERS 与 ITERS 的得分均可借环境品质的结构性因素加以预测,例如师生比例、每班人数和教师的教育程度(Cryer, Tietze, Burchinal, Leal, & Palacio, 1999; Phillipsen, Burchinal, Howes, & Cryer, 1998)。量表的得分还与通常认为涉及环境品质的事项有关,例如教师的薪酬以及课程的成本(Cryer et al., 1999; Marshall, Creps, Burstein, Glantz, Robeson, & Barnett, 2001; Phillipsen et al., 1998; Whitebook, Howes, & Phillips, 1989)。此外,量表的得分也可预测儿童的发展(Burchinal, Roberts, Nabors, & Bryant, 1996; Peisner-Feinberg et al., 1999)。

由于原版 ITERS 的一致效度和预测效度已经确立,而目前的修订保留了原工具的基本属性,因此 ITERS-R 的研究主要集中于看看培训过的观察员使用修订版时能维持多大的信度。同时也需要更多的研究证明量表修订版与其他品质评量工具的持续关系及其对儿童成就的预测效能。我们在 2001 年和 2002 年开展了一项分两个阶段的研究,借以确立修订版的使用信度。

第一阶段为试验阶段。此阶段共有 10 名培训过的观察员参与。他们以 2 或 3 人为一组,在 9 个有婴儿及/或学步儿的中心使用量表的第一次修订版进行了 12 次观察,然后针对试验过程中出现的问题对修订再作调整。

实地试验的最后阶段对信度进行更加正式的研究。这一阶段动员了 6 名培训过的观察员,以两人一组的方式,做了 45 次观察。每次观察持续约三个小时,随后有 20—30 分钟的教师访谈。观察的班级经过挑选,可以代表北卡罗来纳州各种幼儿课程的不同品质。北卡罗来纳州有一套等级认定制度,优质的课程特色可以得分。幼儿中心凭其取得的总分数获发一至五星的许可证。获得一星许可证的中心只符合最基本要求,获得五星者则符合高标准。作为研究对象,我们挑选了 15 个一星或二星中心的班级、15 个三星中心的班级和 15 个四星或五星中心的班级。所选中心的服务对象代表不同年龄的儿童。在观察的 45 个班级中,儿童年龄在 12 个月以下的班级有 15 个、12—24 个月的班级有 15 个、18—30 个月的班级有 15 个。这些班级分布于 34 个不同的中心,其中 7 个班里有经鉴定的残障儿童。所有中心均位于北卡罗来纳州的中部。

实地试验对 45 个班以两人一组的形式进行了共 90 次观察。

指标信度——ITERS 共有 39 个项目和 467 个指标,91.65% 的指标其评分是一致的。有些研究人员可能会不使用"家长与教师"子量表,因此我们计算了前六个子量表中与儿童相关的项目 1—32 的指标信度。这些项目共有 378 个指标,观察员的评分一致性为 90.27%。只有一个项目的指标信度低于 80%(项目 11."安全措施"的指标信度为 79.11%)。指标信度最高的是项目 35."教师专业需要支援",为 97.36%。由此可见,ITERS－R 在指标层面可以取得很高的观察员评分一致性。

项目信度——由于评分系统的性质,理论上可能出现指标信度高,但项目信度低的情况。因此我们计算了两种项目信度。首先,我们计算两人一组的观察员之间的评分一致性。他们以 7 分的量表衡量 32 个与儿童相关的项目,差异同样小于 1 分的项目为 83%。全部 39 个项目其评分差异同样小于 1 分的项目达到 85%。差异小于 1 分的项目中,一致性最低的是项目 4."房间规划"(64%),最高的是项目 38."教师督导与评价"(98%)。

其次,我们使用了略为保守的方法,计算科恩的 kappa 系数(Cohen's kappa)。这个方法考虑分数之间的差异。前 32 个项目的平均加权 kappa 系数为 0.55;全部 39 个项目的平均加权 kappa 系数为 0.58。加权 kappa 系数最低的是项目 9."换尿片/如厕",平均值为 0.14,最高的是项目 34."教师个人需要支援",平均值为 0.92。只有两个项目的加权 kappa 系数低于 0.4(项目 9."换尿片/如厕"及项目 11."安全措施"的系数为 0.2)。这两个案例的平均分都极低。Kappa 统计法有个特点,就是变异性很小的项目信度尤其敏感。观察员之间的评分即使稍有差异,也会使信度受到影响。作者及观察员皆认同这些项目的低分数准确地反映了所观察班级的实况,任何显著提升其变异性的改动都会扭曲这两个项目所反映的品质特征。作者仔细检验了加权 kappa 系数小于 0.5 的所有项目,并在不改变其基本内容的原则下进行轻微调整,以提高这些项目的信度。本量表的印刷版已包含这些调整。虽然使用了较保守的信度计算方法,但总体的结果仍表示量表的信度水平明显可以接受。

整体信度——整个量表全部 39 个项目以及与儿童相关的 32 个项目的组内相关系数皆为 0.92。七个子量表的组内相关系数详见表 1。须注意的是,我们计算"课程结构"子量表的组内相关系数时没有包括项目 32."残障儿童支援"在内,因为只有很少班级在这个项目上得分。结合项目层面的评分高度一致性,本量表无疑具有可接受的信度。还应记住一点:参与实地试验的观察员都经过培训,对量表中的概念都有充分的理解。

表 1　子量表组内相关

子量表	相关系数
空间与设施	0.73
个人日常照料	0.67
聆听与说话	0.77
活动	0.91
互动	0.78
课程结构	0.87
家长与教师	0.92
总量表（项目 1—39）	0.92
所有儿童项目（1—32）	0.92

内部一致性——最后，我们对量表的内部一致性进行了检验，看看总量表和子量表在多大程度上都在测量同一概念。整体来说，量表的内部一致性甚高，克伦巴赫 α 系数（Cronbach's alpha）为 0.93。儿童项目 1—32 的 α 系数为 0.92。检验结果确定本量表测量的是同一概念。第二个问题是子量表的一致性程度。每个子量表的 α 系数详见表 2。

表 2　内部一致性

子量表	α 系数
空间与设施	0.47
个人日常照料	0.56

续　表

子量表	α 系数
聆听与说话	0.79
活动	0.79
互动	0.80
课程结构	0.70
家长与教师	0.68
总量表（项目 1—39）	0.93
所有儿童项目（1—32）	0.92

一般认为克伦巴赫 α 系数达到 0.6 或以上表示内部一致性可以接受。因此，在使用"空间与设施"及"个人日常照料"这两个子量表时应当小心。另外，由于仅少数有经鉴定的残障儿童的班级才给"课程结构"子量表中的项目 32."残障儿童支援"评分，故计算该子量表内部一致性系数时不把项目 32.包括在内。作者因此建议使用"课程结构"子量表时剔除项目 32，除非大多数接受评估的机构都有经鉴定的残障儿童。

总之，实地试验的结果显示，就所有项目及总量表的层面而言，评分员之间的一致性颇高。这些结果与初版 ITERS、ECERS 及修订版 ECERS－R 所作的类似研究结果相当吻合。之前的所有研究均已得到其他研究者的确认，证明这些量表对广泛涉及儿童教育环境的研究非常有用。同时，这些量表也被证明使用起来较为方便，观察员只需经过合理的培训与指导，即可达到可接受的信度水平。

参考文献

American Academy of Pediatrics, American Public Health Association, and National Resource Center for Health and Safety in Child Care. (2002). *Caring for Our Children: The National Health and Safety Performance Standards for Out-of-Home Child Care*, *2nd edition*. Elk Grove Village, IL: American Academy of Pediatrics.

Burchinal, M., Roberts, J., Nabors, L., & Bryant, D. (1996). Quality of center child care and infant cognitive and language development. *Child Development*, *67*,606–620.

Cryer, D., Tietze, W., Burchinal, M., Leal, T., & Palacios, J. (1999). Predicting process quality from structural quality in preschool programs: A cross country comparison. *Early Childhood Research Quarterly*, *14*(3).

Marshall, N. L., Creps, C. L., Burstein, N. R., Glantz, F. B., Robeson, W. W., & Barnett, S. (2001). *The Cost and Quality of Full Day*, *Year-round Early Care and Education in Massachusetts: Preschool Classrooms*. Wellesley, MA: Wellesley Centers for Women and Abt Associates, Inc.

Phillipsen, L., Burchinal, M., Howes, C., & Cryer, D. (1998). The prediction of process quality from structural features of child care. *Early Childhood Research Quarterly*, *12*,281–303.

Peisner-Feinberg, E. S., Burchinal, M. R., Clifford, R. M., Culkin, M. L., Howes, C., Kagan, S. L., Yazejian, N., Byler, P., Rustici, J., & Zelazo, J. (1999). *The children of the cost*, *quality*, *and outcomes study go to school: Technical report*. Chapel Hill: University of North Carolina at Chapel Hill, Frank Porter Graham Child Development Center.

Whitebook, M., Howes, C., & Phillips, D. (1989). *Who cares? Child care teachers and the quality of care in America*. National child care staffing study. Oakland, CA: Child Care Employee Project.

《婴儿学习环境评量表(修订版)》(ITERS－R)使用说明

无论你是在自己的班上进行自我评估,还是作为外来观察员进行课程督导、评价、改进或研究,准确使用《婴儿学习环境评量表(修订版)》都至关重要。美国哥伦比亚大学师范学院出版社提供了修订版的配套培训录像,可供自学或集体培训之用。正式使用量表之前,最好能够参加由经验丰富的 ITERS－R 培训师主持的培训课程。对使用量表进行督导、评估或研究的观察员来说,培训课程应至少包含两次小组形式的课堂观察实习,随之计算评分员之间的一致性。为使一致性达到预期的水平,或建立组内信度,可能需要增加实地观察实习的次数。任何计划使用量表的人士在正式评估某一机构前都应该仔细阅读以下说明。

量表的实施

1. 量表为每次用于一个班或一个小组而设,对象为从出生至 30 个月大的儿童。如果你是个外来观察员,即机构教师以外的任何人士(指机构主管、顾问、审批执照者和研究员),应预留至少 3 小时的时间进行观察和评分。
2. 在开始观察之前,先要完成评分表第一页最上端的机构资料。有些资料你可能需要询问教师,特别是班里年龄最大和年龄最小儿童的出生日期、班级人数,以及班里是否有经鉴定的残疾儿童。观察结束时要确定第一页上所要求的机构资料均已全部填妥。
3. 在开始观察之前,先花几分钟熟悉一下教室。
- 你可能想从"空间与设施"的项目 1—5 开始,因为这些项目的指标易于观察,而且在观察过程中通常不会改变。
- 有些项目需要观察一些只在一天中特定时间才会发生或进行的事件和活动(如"个人日常照料"中的项目 6—9,以及项目 16"动态体能游戏")。这些项目宜加注意,以便当事件和活动发生时可以进行观察和评分。
- 评定关系方面的项目前,应已观察了一段充足的时间,对典型的状况有所认识(如有关语言的项目 12—13,以及有关互动的项目 25—28)。
- 项目 14"图书的使用"及子量表"活动"中的项目 15—24 既需要查看材料,也需要观察材料的使用情况。
4. 观察时注意不要打断正在进行的活动。
- 保持愉悦但中立的面部表情。
- 不要与儿童互动,除非你看到有危险的因素不得不立即处理。
- 不要与教师谈话,或干扰教师。
- 注意你自己在教室中所处的位置,以免对环境造成影响。
5. 安排时间对你没有观察到的指标向教师询问。教师回答问题时应无需照料儿童。访谈时间约为 20—30 分钟。为了尽量节约时间,注意:
- 尽可能采用量表中提供的举例问题。
- 若要提出一些量表中没有提供举例的问题,可事先把问题写在评分表或其他纸上。
- 只询问有助于决定是否可打较高分数的问题。
- 按照量表中项目的次序提问,每次只提有关一个项目的问题,做好记录或评分后再继续下一个项目。
6. 13 页的评分表从第 104 页开始,方便你记录指标、项目、子量表的评分和总分,以及你的意见。随后的概览以图表显示这些资料。

- 每次观察需要一份新的评分表。用者只可复印评分表和概览,但不可复印整份量表。
- 在离开机构前或在离开机构后立即在评分表上记下分数。不应稍后凭记忆评分。
- 在进行另一次观察前,先完成一项评估,包括任何需要的报告。
- 建议在观察期间记录评分表时使用带橡皮擦的铅笔,方便更改。

评分系统

1. 仔细阅读整份量表,包括所有项目、注释及问题。为求准确,必须尽可能完全按照量表项目中的指标进行评分。
2. 为了确保评分准确,在整个观察过程中应可随时取用量表,并经常以之作为参考。
3. 与指标的举例不同但符合指标用意的例子,可以作为指标评分的依据。
4. 评分应根据当前观察所得或教师报告的情况,而非未来的计划。当缺乏可观察的资讯时,可根据教师访谈期间提供的回答来评分。
5. 量表中的要求适用于观察的班级中*所有*儿童,注释特别声明者除外。
6. 给每个项目评分时,应永远从水平 1(不足)开始读起,逐步向上,直至到达正确的品质水平。
7. 如果指标内容与观察到的实际情况*相符*,则在评分表上用 Y(是)表示。如果指标内容与观察到的实际情况*不符*,则在评分表上用 N(否)表示。(对每一项编了号的指标,都问一问自己:"实际情况是这样的吗,'是'还是'否'呢?")
8. 评分方式如下:

- 如果第 1 部分有任何指标评"是",那么应给 1 分。
- 如果第 1 部分所有指标都评"否",而第 3 部分至少一半指标评"是",那么应给 2 分。
- 如果第 1 部分所有指标都评"否",而第 3 部分所有指标都评"是",那么应给 3 分。
- 如果第 3 部分指标全部评"是",而第 5 部分至少一半指标评"是",那么应给 4 分。
- 如果第 5 部分所有指标都评"是",那么应给 5 分。
- 如果第 5 部分指标全部评"是",而第 7 部分至少一半指标评"是",那么应给 6 分。
- 如果第 7 部分所有指标都评"是",那么应给 7 分。
- 当量表和记分表上出现"不适用"(NA)时,才可对有关的指标或整个项目作出"不适用"的评定。决定一个项目的分数时,评为"不适用"的项目均不计分。计算子量表和总量表得分时,所有评为"不适用"的项目都不计分。
- 计算子量表的平均分时,先加起子量表各项目的得分,然后将总和除以计分项目的总数。计算量表的总平均分时,则将整个量表所有项目的得分总和除以计分项目的总数。

另一评分方式

由于 ITERS-R 量表中每个指标都可评分,因此在达到符合的水平后继续评审其品质是可能的。按照上述的计分系统,通常的做法是定出指标的品质分数后其评级便告结束。然而除品质分数外,如果我们为了研究或改善课程,希望在一些表现较佳的领域获得更多资料,那么观察员便可对一个项目的所有指标继续进行评分。

如果选择这个评分方式,对所有指标都进行评分,那么所需的观察时间及访谈时间就要大大延长。完成所有指标大约需要 3.5 到 4 个小时，访谈则大约需要 45 分钟。额外的资讯可能有助于制定具体的改善计划及解释研究结果。

评分表与概览

评分表用于记录指标和项目的得分。指标以 Y（是）、N（否）和 NA（不适用）来评定。只有指定的指标才可评为"不适用"。项目的评分由 1 分（不足）到 7 分（优良），此外还有"不适用"。只有指定的项目才可评为"不适用"。另外还有一个留白的空位用来记录评分的说明。由于说明对辅导教师作出改进特别有用，因此建议可另附页作详细的记录。

给指标打分时要注意在 Y、N 及 NA 下面的正确方格内加上记号。项目的品质分数则应清楚打圈（见第 104 页示例）。

概览以图表形式表示所有项目及子量表的得分。可用来比较优胜和不足的领域，并在项目和子量表中选定需要改进的目标。此外也为子量表的平均分留了空位，至少可供绘制两个并排的概览图表，个中变化便可一目了然（见第 104 页示例）。

量表术语解释

可取用：儿童能够拿到或允许使用玩具、材料、设施及/或设备。儿童必须能轻易拿到开放式架子上的玩具。没有障碍物阻碍他们触及玩具。如果玩具放在有盖子的收纳箱里，儿童无法自己打开，那么玩具就不是儿童可以取用的，除非在观察过程中看到证据，显示教师会经常打开不同的玩具收纳箱，让儿童可以拿到玩具。如果材料储存在儿童拿不到的地方，则必须把它们放到儿童可以触及的地方才算可以取用。例如，如果材料储存在一个不会自己行走的婴儿不能触及的地方，那么教师必须把婴儿移到可以触及材料的地方，或者把材料放到婴儿的旁边。在观察过程中，若有证据显示教师时常为儿童提供项目或指标中要求的各类玩具，可视为"可以取用"。

有些项目要求每天"可以取用"至少 1 个小时。每天 8 小时以下的课程要求时间较短，可按 8 小时或以上的课程占 1 小时的比例计算。请参考下表决定非全日制课程的大致时间要求。

课程时数	2 小时	3 小时	4 小时	5 小时	6 小时	7 小时
要求"可以取用"的大致分钟数	15	25	30	40	45	50

合适的：在很多项目中用以表示适合所观察班级中儿童的年龄和发展水平。例如，项目 5"儿童陈列品"、项目 7"正餐/点心"，以及项目 14"图书的使用"，都在项目中使用了"合适的"这个词。在判断特定指标是否符合"合适的"要求时，观察员应考虑儿童对于保护、激励和正面关系的需求是否以积极和有意义的方式得到满足。

洗手：2011 年版的 *Caring for Our Children*（第 113 页）指出，除非双手明显沾污，否则可用净手剂（hand sanitizers）代替洗手。成人或两岁以上儿童都可使用。（24 个月以下的儿童仍须按原来规定洗手。）因此评定这些指标的得分时可接受净手剂的使用，只要产品含 60%—75% 酒精，用时依照制造商的指示，并密切监督儿童，保证用法正确，以免他们吞食或接触眼睛及黏膜。必须检查以确保制造商的用法指示已被充分遵从，因为任何不遵守的时候都不能得分。如果你观察不到附有用法说明的原装容器，应要求查看。如果儿童使用洁净剂时缺乏严格的监督，应于特别为该项目而设的监管指标下加以考虑，同时也应在安全及监管的项目中作出评估。

如果双手很肮脏，仍须依规定程序洗手，涂肥皂后须搓手 20 秒，而且不应使用抗菌的肥皂。共用美术或感官材料的儿童必须在用前及用后洗手，或按指示使用净手剂。

所有学习环境评量表(ERS)的观察员于进入机构时必须洗手或使用净手剂。

使用某些共用的美术及感官材料前无须洗手。潮湿的材料比干燥的材料更易传播细菌。例如共用的蜡笔便无需于用前用后进行双手的卫生程序，但两名儿童若共用胶泥，或在一个平面上共用手指画颜料则必须洗手。同样地，共用沙子之前(或之后)也不需要，但如果共用水的话，则用前及用后都须进行手部卫生程序。关于洗手的详细指示参见项目7"正餐/点心"、项目9"换尿片/如厕"，以及项目10"卫生措施"的注释。

婴儿/学步儿：婴儿是指从出生到11个月大的儿童。学步儿的年龄为12个月至30个月。所有列明年龄界限的项目或指标(例如："如果所有儿童的年龄均小于12个月，评'不适用'。")都可略作变通。如果班里只有一名儿童超出了年龄界限，并且该儿童比规定的年龄大了不足一个月，则该项目/指标仍可评为"不适用"。如果该儿童超过规定年龄一个月，或者有两名及以上儿童符合年龄要求，则该项目/指标必须记分。即使有计划把该名儿童转到较大年龄的班级，但由于评分必须根据现实情况，因此该项目或指标仍须记分。班中如有残疾儿童才可不受此限制。在这例外的情况下，具体的要求要视乎儿童的能力和残障程度而定。例如：如果该儿童存在语言障碍，但体能方面没有问题，那么与语言无关的许多要求如设施或活动等仍需做到。

一天中大部分时间：在大多数的项目中，"一天中大部分时间"是与儿童取用以室内为主的材料有关(例如图书、美术用品、小肌肉锻炼或角色游戏的玩具)，意指任何一名儿童醒着并且能进行游戏的大部分时间。儿童如果由于照料环节过长，须无所事事地等待；或身处他们不投入的小组或无法取用材料的地方之中，以致长时间不能使用材料，则"一天中大部分时间"不能得分。儿童感兴趣而投入的、短暂的、配合他们发展的合适集体活动是容许的，只要它们对当天其余时间取用材料不构成重大影响。在3小时的观察期间内，若准备玩耍的儿童(或任何一个小孩)受阻以致不能接触或使用材料共达20分钟，"一天中大部分时间"便不能得分。这20分钟可以是一整段的，也可以是几段时间的总和。在不同项目中出现的"一天中大部分时间"的要求，应分别独立加以考量。

为"一天中大部分时间"计时的时候，从任何一名儿童醒着准备玩耍而不能取用玩物开始算起。如果不能取用的时间不超过3分钟，则这段时间不要算入20分钟的时限之内。3分钟以内的等待可以接受。如果不能取用的时间达3分钟或以上，则整段时间应算入20分钟的时限之内。不要漏掉不能取用的开始3分钟。

由于怀抱对12个月以下的婴儿有益，因此即使他们不能取用玩耍材料，也不要计算怀抱的时间，只要成人经常与婴儿互动(例如向婴儿说话、给他看东西、轻轻拍他)，除非婴儿显然不愿意被人抱住。

如果儿童被送到户外极长的时间(一天的1/3或以上)，因而不能取用以室内为主的材料，那么"一天中大部分时间"如要得分，则户外也须提供这类材料。个别儿童可能与其他儿童不同，他们不能同样地取用材料，须特别注意。例如：不能行走或身在游戏圈中的儿童便与组内其他儿童不同，他们不能同样地取用材料。对于不能行走的婴儿，为免出现混乱，不必在同一时间提供所有要求的玩具或材料。但是，必须清楚看到在一天的不同时间儿童可以用到要求种类和数量的材料。需要亲密接触加以安抚的发脾气婴儿可能并不"准备玩耍"，所以在发脾气期间不需要取用材料。

儿童乘坐婴儿车"游车河"时，不要把"游车河"的时间算入"一天中大部分时间"不可取用材料的 20 分钟之内,只要儿童一般来说投入活动(其间个别儿童可能不如其他儿童那么投入,但多数儿童应表现出兴趣,没有人显得苦恼),"游车河"的实际时间不超过 20 分钟。其间可能有儿童入睡,在这情况下,他们不是醒着,也不准备游戏,故此计算"一天中大部分时间"的时候,不要把入睡也算在内。有时,安排儿童坐进婴儿车及散步后下车会有阻滞。如果儿童须在婴儿车内等待长时间(超过 3 分钟而且不能取用玩耍的材料),那么等待的时间应算入 20 分钟的时限之内,使"一天中大部分时间"可能失分。

如果"游车河"超过 20 分钟,"动态体能游戏"项目的指标 3.1 便不能得分,因为儿童身在婴儿车中,不能自由四处走动。如果大多数儿童"游车河"时不投入,在计算项目 26"儿童互动"的"一天中大部分时间"时应加以考虑。

"一些"和"许多":在整个量表中用以表示数量或频率。许多项目可能已有具体的说明。"一些"表示至少要在环境中观察到 1 个实例,除非说明中要求更多例子。"许多"如要得分,则儿童应无需长时间等待或与其他儿童作不必要的竞争。

教师:一般是指与儿童有直接关联的成人,即教学人员。量表中"教师"采用复数形式,因为通常一个班的教师不止一位。如个别教师处理事情的方法有所不同,那么所打的分数应能代表所有教师对全班的总体影响。例如,某班的一名教师说话较多,而另一名教师则相对话少,那么评分时就要看教师的说话在多大程度上满足了儿童听取话语

的需要。在所有涉及互动的项目中,"教师"是指身在班上、每天(或几乎每天)花大部分时间与儿童一起工作的成人。这可以包括义工,如果他们上课的时数达到"一天中大部分时间"这一要求。在评估是否符合项目要求的时候,不应计算那些一天当中只在课堂上短暂逗留或并非日常课堂活动一部分的成人。例如,如果一名治疗师、家长或机构主任进入教室,与儿童进行了简短或非经常性的互动,这些互动在项目评分时就不能计算在内,除非它们对班级、小组、一个或以上个别儿童有相当大的负面影响。但有一种例外,在家长合作开办的幼教机构或实验学校,员工编制往往包括由不同人士担当教学助理。这些助理应该算作教师。

"通常":用于表示观察到的常见或普遍措施在实践时很少间断。

"假如天气许可":量表中几个涉及儿童何时可以参加户外活动的项目使用了这个短语。"假如天气许可"即几乎每天,除非下大雨或政府宣告因天气关系,如污染水平甚高和极端低温或高温可能造成健康问题,建议人们留在室内。人们常说:"没有坏天气,只有坏衣服。"因此,在大多数的日子里应当带领穿戴适宜的儿童到户外活动。如果日间稍后时间天气会变得非常热,便可能需要调整日程,让儿童在早上到户外去游戏。另外,如果下雨潮湿,可能需要确保儿童当天穿雨靴并有可供替换的衣物。坏天气过去后,教师应在儿童出来活动前查看户外场地、弄干器材、扫除积水或隔开水坑。有些机构在户外地方(如平台或露台)装置上盖。它们较可能满足户外活动的要求,如果"天气许可"的话。

《婴儿学习环境评量表(修订版)》(ITERS – R)子量表及项目

空间与设施

不足		最低标准		良好		优良
1	2	3	4	5	6	7

项目(1):室内空间

1.1 对儿童、成人和设施而言都缺乏足够的空间。*

1.2 缺乏足够的照明、温度调节或吸音的材料。

1.3 修葺不善(如墙壁或天花板油漆剥落,地板粗糙破损)。*

1.4 疏于打理(如地板及地毯上有积灰和污垢,洗手盆肮脏,忽视日常打扫)。

3.1 对儿童、成人和设施而言都有足够的室内空间。*

3.2 有足够的照明、温度调节或吸音的材料。

3.3 修葺良好。

3.4 室内相当干净并打理良好。*

3.5 班级所有儿童和成人都可无障碍地使用空间(如设有残障人士使用的坡道和扶手、供轮椅和助行器使用的通道)。*
可评"不适用"

5.1 对儿童、成人及设施而言,室内空间都很宽敞(例如:儿童和成人可以活动自如,房间内没有摆满设备,有空间放置残障儿童需要的设备,有宽敞的空间让儿童游戏)。*

5.2 通风良好,自然光可通过窗户或天窗透入室内。

5.3 残障儿童和成人都可无障碍地使用儿童场地。*

7.1 可以调节自然光(如设有可调节的百叶窗或窗帘)。

7.2 可以调节通风(如可以开窗;可以使用排气扇)。*

7.3 地板、墙壁和其他嵌入装置的表面都使用了易于清洁的材料(如可清洗的地板/地面及油漆/墙纸、台面,橱柜的表面都易于清洁)。

*注释:

1.1、3.1、5.1　在评估室内空间是否足够时,要考虑在任何一天最多有
多少儿童和成人可能使用空间、是否有足够的空间放置基本照料
和游戏所需的设备和材料,以及所需空间的总量。若是由于缺少
日常照料及游戏所需的基本设备和材料,或是由于只有很少儿童
出席,使空间显得充足,则必须考虑在基本设备和材料都齐备,并
且所有儿童都出席的情况下空间的使用状况。如果教室的空间
很大,但只允许教师使用一小部分,则以可使用的空间评量是否
足够。如果教室的空间很大,且允许教师使用整个空间,但教师
只选择使用其中一小部分,则应根据教师使用的这一小部分空间
进行评分。

1.3　"修葺不善"指存在一项或以上严重的维修问题,对健康及安全构
成威胁。

3.1　"有足够的室内空间"要求便于教师走动,从而满足儿童日常照料
所需(例如:方便接近在小床中的儿童、分隔开换尿片和准备食物
的地方),而且儿童游戏时也不会拥挤。空间必须足够,使所有的
成人、儿童和设施不致塞满室内。

3.4　可以预期每天常规活动后会有些脏乱。"室内相当干净并打理良
好"是指看得出每天打扫,例如地板吸过尘和拖洗过,脏乱的情况
如喂食后地板上的食物残渣也能马上清理。

3.5、5.3　"无障碍"要求教室和洗手间必须方便残障人士使用。门廊
至少要 32 英寸(81 厘米)宽。门把手应尽量少用手来操作。入
口的门槛不应高于 1/2 英寸(1.27 厘米),若高于 1/4 英寸(0.64
厘米)便必须做成斜面以便轮子经过。若存在其他明显不便残障
人士的障碍(例如狭窄的洗手间、楼梯没有坡道或电梯),则指标

不能得分。

　　室内空间的最低合格标准(3 分)是指目前参与课程的残障
儿童和成人都可以到来使用它。如要得到 5 分,则空间的使用必
须是无障碍的,不管课程有没有涉及残障人士。

7.2　通往户外的门如果打开也不构成危险(如设有上锁的纱窗或安全
栏,防止儿童在没人看管下离开教室),才可以算是通风设施。

问题:

7.2　教室内的通风设备可以调节吗? *如答"是",则问:是怎样调节的?*

不足		最低标准		良好		优良
1	2	3	4	5	6	7

项目(2)：日常照料和游戏的设施

1.1 儿童日常照料(包括喂食、午睡、换尿片/如厕)的设施，以及储存儿童个人物品和日常照料用品等所需的设施不充足。*

1.2 游戏设施不足(例如：没有开放式的储存玩具设备)。*

1.3 设施一般维修不佳，会导致幼儿受伤(例如：木器有裂片或外露的钉子，椅子的脚不稳)。

3.1 日常照料所需的设施足够。*

3.2 游戏设施足够。*

3.3 所有设施牢固并保养良好。*

3.4 儿童座椅舒适且具支撑性(例如：有搁脚板，椅背和两边有支撑，表面防滑，需要的话有安全带)。*

5.1 有适合个别照料婴幼儿的设施(例如：提供婴幼儿坐的高脚椅而非集体用的餐桌，小组婴幼儿使用的桌椅，儿童储存个人物品的设施)。

5.2 有一些儿童尺寸的桌椅供儿童使用。*
可评"不适用"

5.3 设施鼓励儿童有能力时自己使用(例如：靠近洗手盆的台阶，供肢体残障儿童专用的椅子，开放式的低矮玩具架)。*

5.4 有一些用来储存多余玩具和用品的设施。

5.5 成人进行日常照料时有座位可坐。*

7.1 日常照料的设施使用方便(例如：成人容易取用小床/垫子，存放尿片及有关用品的地方距离换尿片的平台很近，有便于家长、教师或年龄较大幼儿使用的小壁橱)。

7.2 幼儿使用的桌椅大多数是供儿童专用的尺寸。*
可评"不适用"

7.3 多余的玩具存放有序，且取用方便。

7.4 成人与儿童在一起时有舒适的座位。*

1.1 日常照料所需的设施举例：婴儿椅、高脚椅、喂食用的小桌子和小椅子；午睡用的婴儿床、垫子或小床；换尿片的平台，以及储存换尿片所需用品的设施。除非所有儿童都在同一时间喂食，否则不要求每个儿童都有一把喂食用的椅子。

1.2 游戏所需设施举例：婴儿椅、小桌子和小椅子、存放玩具的开放式低矮架子或浅盘/篮子/牛奶箱。

3.1 判断日常照料的设施是否足够时，可对比须储存的物品来考量储物格的大小。储物格是否足够容纳每个小孩拥有的所有东西。班上每个儿童必须各有一个不与别人共用的储物格，其空间可以存放他的所有东西，这样可以减少虱子和疥疮的传染。当儿童的个人物品像外套、额外的衣服、毛毯等（如存放在储物格）没有得到合理的分隔，又或储物格满载，以致东西都掉在地上，3.1便应评"否"，因为储物格的大小不足容纳必须装进去的东西。如果个人物品略有接触（例如冬天大衣的衣袖突了出来，接触到其他儿童的东西），或者其他物品有小问题，只需把这些物品适当地推回格内便可解决，则储物格应视为足够。儿童个人物品的任何接触亦应于卫生项目下加以考虑。

3.2 要有足够的开放式低矮架子及/或其他存放玩具的设施，此指标才可得分。所有可取用的玩具必须有足够的储存设施，而不是把它们堆放在一个小空间。

3.3 "牢固"是指设施本身的一个属性（即使用时不会破裂、翻倒或坍塌）。如果把一件家具放在一个容易碰跌的地方，那便属于安全问题，而不是设施牢固与否的问题。给这一指标评分时，不要过于追求完美。如果有点小问题，只要不大可能构成安全威胁，应可得分。例如，椅子或桌子有轻微的摇晃，但不会塌下来；又比如

人造皮革沙发略有破损，但里面的海绵没有外露，则不必因这些小事情扣分，除非类似的小问题很多。

3.4 如果绝大多数儿童坐在喂食椅上觉得舒服，即使有一个儿童不如其他儿童那么舒服，指标仍可得分。

5.2、7.2 儿童尺寸的椅子应当让儿童靠着椅背坐时双脚也可以踩到地面（不必平踏在地上）。儿童不应坐到椅子边缘才能脚踩地面。儿童尺寸的桌子应让儿童能把膝盖放到桌下，同时手肘可以很舒服地放在桌上。学步儿须由成人抱起才能坐下的高脚椅或集体进食用的桌子不应视为儿童尺寸。

5.3 至少要有两种鼓励儿童独立操作的不同设施，一种用于日常照料，另一种用于游戏，指标才可得分。

5.5、7.4 有时教师使用儿童尺寸的椅子或其他设施（如大积木或立方体）给坐在高脚椅或低矮桌子旁的儿童喂食。如果座位比婴儿/学步儿所用的较大，教师看起来又坐得舒服，则指标可以得分。但是，这种替代方法不能给7分，7分要求有舒适的成人尺寸的设施。

　　照料和学习（如换尿片/如厕、喂食、游戏活动）用的儿童尺寸设施旁边应提供成人座椅，使成人不必在帮助儿童时弯腰驼背。

7.2 "大多数"是指75%的学步儿使用儿童尺寸的桌椅。

问题：

5.4、7.3 除了我看得到的这些玩具或材料，你还使用别的吗？*如答"是"，则问：它们放在哪里？可以给我看看吗？*

7.1 如果观察时没有看到小床或垫子，则问：儿童的小床或垫子放在哪里？

不足		最低标准		良好		优良
1	2	3	4	5	6	7

项目(3)：休闲及舒适的设施

1.1 儿童游戏时没有柔软的设施可用(例如：没有沙发、小地毯、靠垫或软质玩具)。*

3.1 儿童可在地毯或其他较软的设施上玩游戏(例如：地上有靠垫、垫子、被子)。

3.2 一天中大部分时间可取用3件或以上的软质玩具。*

5.1 一天中大部分时间可使用舒适区。*

5.2 舒适区不受动态游戏干扰。*

5.3 一天中大部分时间可取用许多软质玩具。*

7.1 其他几个地方也有配备柔软设施的舒适区(例如：几个铺上柔软小地毯的区域,供学步儿坐的豆袋椅,儿童沙发或儿童躺椅)。*

7.2 在适当的时候把不能自己行走的婴儿安置在舒适区。*
可评"不适用"

7.3 舒适区用来进行阅读或其他安静的游戏。*

* 注释：

1.1　"柔软的设施"不包括婴儿床、游戏圈内或其他装有软垫的日常照料设施。

3.2　软质玩具举例：布料或塑胶包裹的海绵积木、布娃娃、布质动物玩具、布质玩偶等。要观察儿童是否可以触及并使用这些软质玩具。

3.2、5.3　布质和塑胶的书算是图书，不是软质玩具，见项目 14"图书的使用"。点算软质玩具时，若一件软质玩具包括几个不同的组件，例如软质的叠环玩具，个别的组件不能当作一个样例，即使小孩使用的是这些个别的组件。

5.1　舒适区必须为儿童提供丰富的柔软感。单独一块薄垫、靠垫或地毯不符合要求。一般来说，舒适区里包括软质设施的组合，但单一的设施，例如床褥或日式床垫，若能提供儿童所需的丰富柔软感，也算符合要求。

5.2　"不受干扰"是指舒适区里没有动态游戏的设备，并且（通过规划或使用屏障）把爬行或行走的儿童隔开。由于房间中央为交通要道，因此舒适区不应设在那里。教师应当尽力确保活跃的儿童不会因蹦跳或奔跑而打扰在舒适区休息的儿童。

　　舒适区可以短暂用作集体活动空间（例如：用来跳舞或开展围圈时间），但一天大部分时间不应用来进行动态游戏。若有两处或更多的舒适区，则不必每一处都要满足指标的要求。但至少须有一处从不用于动态体能游戏。可综合考虑所有空间，决定一天中是否大部分时间可使用舒适区。

5.3　"许多"要求至少有 10 件软质玩具，并且如有 5 名以上的儿童，则每名儿童至少要有两件。

7.1　此指标不考虑在其他区域看到的软质玩具；只有在游戏时间内用到的额外柔软设施才算。必须在一个以上的地方看到柔软设施的使用。如果有多处满铺地毯，也算符合指标的要求。

7.2、7.3　至少要观察到一个实例，才可得分。

不足		最低标准		良好		优良
1	2	3	4	5	6	7

项目(4):房间规划

1.1 设施占了大部分空间，剩下很少空间作游戏之用(例如:房间里放满日常照料需用的设施,儿童主要在小床或餐桌之间/之下的狭小空间游戏)。

1.2 房间的主要规划阻碍成人充分看管儿童(例如:成人很难监察分开的午睡空间,L形房间的隐蔽处用来提供日常照料或游戏活动)。*

3.1 设施的摆放使儿童有一些开阔的游戏空间。

3.2 房间的规划使成人看管儿童不太困难(例如:一直有人监察分开的睡觉空间,儿童不会被看不到的角落或高的架子遮蔽)。*

3.3 班里的残障儿童能够使用大多数的游戏空间。可评"不适用"

5.1 日常照料区位置方便(例如:婴儿床/小床放在容易进出的地方,换尿片的用品放在就近的地方,在需要的地方有热自来水供应,餐桌安放在易于清洁的地板上)。*

5.2 房间的规划让教师可以一眼看到所有儿童(例如:教师换尿片或准备食物时可以轻易看到所有游戏区)。*

5.3 安静和动态的游戏区分开(例如:把年龄小的幼儿和活动比较自如的儿童分开,把图书和静态玩具放在非攀爬或奔跑区的地方)。

7.1 为不同的活动提供合适的空间(例如:为动态的游戏安排开阔的空间,为看书或安静的游戏安排较小的舒适空间,把艺术活动或其他会弄脏的游戏安排在易于清洁的地方进行)。*

7.2 把用途相似的材料放在一起,构成兴趣角(例如:婴儿:拨浪鼓或软质玩具区、爬行区;学步儿:图书、音乐、手推玩具、操作玩具、大肌肉活动等区域)。*

7.3 人员来往不会影响活动的开展。

不足		最低标准		良好		优良
1	2	3	4	5	6	7

5.4　儿童可方便地拿到玩具（例如：把玩具放在低矮的开放式架子上；把玩具箱放在自己不能行走的婴儿身边）。

涂鸦区的纸张下需有坚硬的表面，并有足够空间让儿童的手可以自由活动。婴儿需要的兴趣角较少，但须更具灵活性，而学步儿则需要更多样化的游戏空间。

注释：

1.2、3.2、5.2　如果班级一直有超过一位教师，则不必每位教师都要能一眼看得到整个教室。但是至少其中一位教师必须要能看到所有儿童。记住，如果在观察过程中教室里有两位教师，但在其他时段（如一天中的早晚班）只有一位，则在项目评分时应予以考虑。

5.1　如果大多数照料儿童的区域都位置方便，只有一两处小例外，评"是"。

7.1　如要得分，室内至少要为学步儿提供三个不同类型的游戏区：一个动态游戏区、一个安静游戏区，以及一个可使用易弄脏材料的游戏区。婴儿同样需要三个游戏区域，包括可自由移动的空间以及玩不同类型玩具的空间（例如：安静地玩拨浪鼓、图书和其他安全小物件的空间；伸手触摸玩具、爬行通过隧道等较动态的游戏空间），但不要求一定要有使用易弄脏材料的游戏空间。

7.1、7.2　兴趣角应当为儿童的游戏提供方便。空间及游戏区的表面材质应当适合游戏所用的材料。例如，玩积木需要安稳的平面；

问题：

5.1　如果观察时没有看到小床或垫子，并且对项目2的提问没有获得所需的资讯，则问：儿童的小床或垫子存放在哪里？可以让我看一下吗？

不足		最低标准		良好		优良
1	2	3	4	5	6	7

项目(5):儿童陈列品*

1.1 没有为儿童展示图片或其他材料。

1.2 大多数的陈列品不适合班上主要的年龄组别(例如:显示暴力的材料,陈列品上满是数字和文字)。*

3.1 至少有3幅色彩缤纷的图画及/或其他材料陈列在儿童容易看到的地方(例如:风动小饰物、照片)。*

3.2 陈列品内容整体而言是合适的(例如:不恐怖,展示的东西对儿童来说有意义)。*

5.1 教室里展出许多色彩缤纷的简单图画、海报及/或照片。*

5.2 悬挂风动小饰物及/或其他色彩缤纷的物品让儿童观看。*

5.3 许多展品陈列在儿童容易看到的地方,其中一些还可以轻易触摸到。*

5.4 教师与儿童谈论陈列品。*

7.1 在儿童齐眼高的地方展示班里的孩子、他们的家庭、宠物,或他们熟悉的其他人物的照片。*

7.2 大多数图画都做了保护加工,以防损坏(例如:将图画进行贴膜处理)。*

7.3 至少每个月添加新展品或更换展品。*

7.4 展示幼儿的美术作品(例如:涂鸦画、手印画)。*
可评"不适用"

31

* 注释:

项目(5):架子上指示材料储存地方的标签,以及中心的标志或指示牌不算是陈列品。

1.2 如果超过50%的陈列品不适合50%以上的儿童,或者任何陈列品含有暴力或歧视的成分,评"是"。

3.1 如果墙纸上的彩色图案或一幅壁画是唯一的陈列品,这指标可以得分,但指标5.1则不可。

3.2 "整体而言合适"是指至少75%的陈列品有意义,因为它们适合儿童的年龄与发展,且全部陈列品不含暴力或偏见成分。

5.1 "许多"没有特定的数量要求。需根据陈列品的整体影响进行评价,应当确保教室里任何地方的儿童都能轻易看到陈列品,而不是只在一个地方才能看到。

　　由于此指标旨在让儿童接触不同的、可辨认的图像,而这些图像应在教室内到处展示,让成人指出及谈论,借以鼓励儿童的语言发展,故儿童的美术作品(指标3.1及7.4予以肯定)在此不加考虑。

5.2 悬挂的物品和风动小饰物如要得分,必须是在空中可以动的。本指标不计算像图画般挂在墙上的平面物体(如彩色的布艺、剪纸),悬吊的植物则算。悬挂的陈列品必须在某时段让所有儿童都能看见。因此,婴儿床内悬挂的让婴儿触摸的物品或风动小饰物不算,由于只有一个儿童可以清楚看见。指标要求有两件所有儿童都能看见的悬挂物,才可得分。

5.3 如要得分,指标5.1所肯定的陈列品至少要有75%展示在儿童能容易看到的地方;并且在这些儿童容易看到的陈列品中,50%必须可以让活动自如的儿童在无需帮助下触摸到。

5.4 在评价过程中,至少要观察到一个实例,指标才可得分。

7.1 如要得分,照片内容须是目前班里的儿童或他们熟悉的东西,同时足以代表班里的大多数人。至少要观察到两张符合这些要求的照片,而且展示在所有儿童都能轻易看见的地方。

7.3 每月至少要更换30%的陈列品。评分时需同时考虑教师在访谈中的回答,以及陈列品上显示的日期。

7.4 学步儿的美术作品(包括:涂鸦画作或胡乱绘画在填色册页上的作品均可算在内)。

问题:

7.3 你会否增添或更换教室内的陈列品,例如墙上的图画? 如答"是",则问:多久进行一次?

个人日常照料

不足		最低标准		良好		优良
1	2	3	4	5	6	7

项目(6):入园/离园 *

1.1 经常忽略跟儿童打招呼。*

1.2 离园环节没有安排好。

1.3 在入园/离园的时间,家长很少进入照料儿童的区域。*

3.1 教师跟大部分儿童亲切地打招呼(例如:教师看到儿童时很高兴,微笑,说话的语气令人愉快)。*

3.2 离园的安排良好(例如:儿童的物品整理就绪,可以随时离开,刚换过尿片)。

3.3 作为日常照料的一部分,家长把孩子送进照料儿童的区域。*

3.4 家长和教师分享有关儿童健康及/或安全的资讯(例如:儿童睡得好不好,服用的药物,班里如有儿童生病通知家长,报告儿童受伤)。*

5.1 教师和每个儿童及家长打招呼,而且离园的安排良好,令人愉快(例如:入园时交谈;离园时儿童穿戴妥当,随时可以回家)。

5.2 能顾及他人感受地处理儿童与家长分别或离园时的问题(例如:安慰哭泣的儿童,耐心应对未准备好停止游戏的儿童)。

5.3 婴幼儿日常喂食、换尿片和午睡的情况都有书面记录,可供家长查看。*
可评"不适用"

7.1 友善、轻松的氛围使家长接送儿童时乐意在活动室里停留(例如:当儿童安顿下来时家长与教师交谈,家长给儿童诵读故事)。

7.2 除告知家长有关日常照料的资讯外,教师还跟家长谈孩子当天所做的事情(例如:儿童喜欢参与的游戏活动,儿童学习的新技能)。*

7.3 给家长提供婴幼儿的个人日常书面记录。
可评"不适用"

*注释：

项目(6)：入园的要求是，当儿童来园时觉得教师用一种正面的或中立的方式和自己打招呼，从来不会是负面的。换言之，儿童知道自己到班里来是受欢迎的。教师必须在儿童进入活动室时和儿童打招呼，才算达到标准。如果来不及，则必须在家长离开前做到。如果儿童是睡着送进活动室的话，则教师应当和家长打招呼，并且当儿童醒来后再和儿童打招呼。

1.1　"经常忽略"是指超过50%的时间。

1.3　"家长"是指任何负责照顾儿童的成人，例如祖父母、养父母或保姆。"很少"是指少于50%的时间。

1.3、3.3　如果儿童是乘校车去机构，且没有家长进入照料儿童的区域，则指标1.3评"是"。如果有些儿童乘校车去机构，有些通常由家长送进照料儿童的区域，则指标1.3和3.3都应评"否"。

3.1　"大部分"是指至少75%的儿童得到亲切的迎接，并且当任何教师来活动室工作时都至少和一些儿童打招呼。

3.3　指标如要得分，所有家长送孩子入园时都必须可以进入孩子一天中大多数时间使用的活动室，即使他们在另一个房间和孩子道别。

3.4　家长和教师可以用口头或书面的形式分享讯息，但讯息必须是双方都理解的。在所有观察到的教师接待家长的过程中，双方必须就儿童的健康及安全有一些讯息交流，指标才可得分。

3.4、7.2　如果儿童是坐校车去机构的，应询问家长和教师有没有用任何方式分享儿童的讯息。

5.3　如要得分，书面记录必须准确地反映每个儿童每天喂食、换尿片和午睡的情况，并且必须由教师在照料时即时记录。

问题：

如果没有观察到入园或离园的情形，则问：你能描述一下儿童入园和离园时的情况吗？ 如有需要，可进一步提问，例如：

1.3、3.3　家长通常把孩子送进活动室吗？

3.2、5.1　儿童离园前，会做哪些准备？

5.2　如果儿童不愿和家长道别，或放学时不愿意离开机构，你会如何处理？

7.1　家长在接送孩子时有没有在活动室里停留？

7.2　家长来接孩子时，教师是否可能和家长交谈？ *如答"是"，则问：会谈些什么事情？*

7.3　有否为家长提供每个婴儿的每天书面记录？ *如答"有"，则问：我可以看一个例子吗？*

不足		最低标准		良好		优良
1	2	3	4	5	6	7

项目(7)：正餐/点心

1.1 正餐/点心的时间不能满足儿童的个别需要。

1.2 提供的食物不依从营养指引或不合适(例如:食物可能导致儿童窒息,食物或饮品烫口)。*

1.3 通常忽略基本的卫生程序。*

1.4 喂食方法不恰当(例如:用奶瓶喂食时不抱住婴儿,儿童在走路、奔跑、游戏或躺着时进食和喝奶,强迫儿童进食)。*

1.5 没有针对儿童的食物过敏作出调整。
可评"不适用"

3.1 正餐/点心的时间安排满足每个儿童的需要(例如:婴儿有个别的时间表,学步儿正餐前如果肚子饿了可以吃点心)。*

3.2 正餐和点心都提供营养均衡且切合年龄需要的食物。*

3.3 至少有一半时间符合基本的卫生程序。*

3.4 对不同年龄和能力的儿童有充分照看(例如:当儿童进食时,教师就在旁边)。*

3.5 张贴儿童过敏的资料,并准备代替的食物/饮品。*
可评"不适用"

5.1 单独或分小组喂食儿童。*

5.2 吃正餐/点心都很轻松愉快(例如:教师对吃得邋遢的儿童有耐心,给吃得慢的儿童足够的时间,温柔地给婴儿擦脸)。*

5.3 通常遵守基本的卫生程序,只有一点小失误。*

5.4 教师和儿童说话,使他们感到愉快。

5.5 张贴餐单,让家长知晓。*
可评"不适用"

7.1 教师与儿童同坐,并利用进食的时间鼓励儿童学习(例如:看着婴儿并跟他说话,说出食物的名称,鼓励学步儿说话及发展自理能力)。

7.2 教师与家长合作,帮助儿童养成良好的饮食习惯(例如:一起商量怎样帮助儿童不再使用奶瓶,互相配合向儿童介绍新的食物)。

*注释:

1.2、3.2　为确定营养是否充足,可参考美国农业部(USDA)发布的儿童护理及成人食物计划(Child Care and Adult Food Program)中的婴儿和学步儿营养指引,或参考其他国家类似的营养指南。除观察提供的食物外,还需查看一周餐单。若偶尔出现不符合指引的情况,如生日会上吃纸杯蛋糕而不是常规点心,评分应不受影响。

如果没有餐单,可请教师描述上一周提供的正餐/点心。如果是家长提供食物,则教师必须检查营养是否足够,并在必要时加以补充。

太烫的食物是不合适的,例如在微波炉内或在高于华氏 120 度(摄氏 50 度)的热水中加热的食物或奶瓶。

1.3、3.3　由于要求三项重要的卫生措施(清洗/洁净用餐的表面、进食前后的手部卫生,以及提供不受污染的食物),故须考虑每项要求的措施实行到什么程度。如果三项中有两项未加注意(例如完全忽略洗手、没有尝试清洁餐桌,及/或在导致极度污染的情况下准备食物),那么 1.3 便应评"是"。执行洗手程序时可以有轻微的不足(没有搓手 20 秒,但手部所有表面都经彻底洗擦;没有先湿手,但肥皂仍产生泡沫)。不过,双手应洗得合理的清洁。如果有显著的尝试显示要完成所有措施,即使有些程序没有做到绝对正确,3.3 应评"是"。如果以最少的努力做完所有程序,但完成的过程严重出错,则 3.3 应评"否"。

1.3、3.3、5.3　可根据你期望一家餐厅应有的卫生水平,对儿童食物服务的卫生程序进行评分。(你愿意吃掉在餐厅座椅上的食物吗?你愿意服务员把放进过你朋友口里的食物再放进你的口里吗?)病菌传播的问题也是一样,但对于免疫系统尚未成熟的婴儿和学步儿来说,后果甚至更为严重。

基本的卫生程序:

● 即使戴着手套,教师也应在给婴儿喂奶前后,以及为儿童准备及分配食物前后洗手。给儿童喂食时,如有任何可能污染教师皮肤的情形(例如抱起过流口水的儿童或捡起咬过的玩具、用手拿食物直接喂过儿童),教师必须清洗自己的手。

● 自己吃,不用喂(如用手抓或用汤匙)的儿童须在进食前后洗手。洗手后应尽量避免再次弄脏,例如,可让儿童一洗完手就坐到餐桌旁。

● 用餐前后必须对进食时使用的平面(高脚椅子上的托盘或餐桌的台面)进行清洁和消毒。

● 不给儿童吃受污染的食物(例如:从家里带来的未经冷藏的易腐食物;放在温水中超过 5 分钟的食物/饮料;掉在高脚椅座位上的、被其他儿童碰过的食物)。切割食物或喂食儿童时应使用餐具,而不是用手。

● 奶瓶中的牛奶和果汁如不加冷藏的时间不超过 1 小时,仍可视为符合卫生。

● 容器中用叉子或汤匙喂食过儿童的食物,之后不可再用来喂食。

● 必须把食物准备区与进食、游戏、如厕、动物、走廊、盥洗等区域分隔开。

● 当班级有多于一名照料者时,准备食物的照料者应当在完成食物的准备后才参与换尿片的工作。

● 有关适当储存和调制配方奶及母乳的更多资讯,可参考各州发布的儿童照料卫生指南或 Caring for Our Children: The National Health and Safety Performance Standards for Out-of-Home Child Care 第 2 版 (2002)的附录。

● 准备食物用的水槽不得作其他用途(例如:不得用来洗手或换尿片

时用来清洁)。若同一个水槽不得不作多用,则必须在用来处理食物前进行消毒。

参看第 18 页"量表术语解释"中"洗手"。

美国国家环境保护局(EPA)批准的另一"洁净剂"(sanitizer)可代替常用的稀释漂白水,用于清洗餐桌、高脚椅的托盘及其他与食物有关的表面。检查原装容器的标签,寻找"EPA 洁净剂"的注明。须肯定所有用法指示已经遵守,例如洁净剂须保留在表面上多久,或者用后需否以水冲洗。如没有遵从用法指示,那么清洗表面便不能得分。适当的话,使用替代洁净剂的安全问题(例如须冲洗残留物而没有照做,或没有把洁净剂置于儿童接触不到的地方)应于项目中的监管指标下加以考虑,或于安全及一般监管的项目中作出评估。

1.4　允许能自己坐起来并拿住奶瓶的婴儿和年龄较小的学步儿自己进食。

3.1　不同儿童对热量的需求差别很大。由于点心可能实际上是一顿正餐而儿童不能把它吃完,因此点心和正餐都应是营养食物。在喂儿童吃固体食物的过程中,应给儿童喝水。

3.4　"充分照看"要求教师集中注意,并且伸手便可触及任何正在进食/饮水的儿童。

3.5　若儿童对食物过敏,需安排替代的食物/饮品时,替代品仍须满足原定食品的基本营养要求。以牛奶为例,替代牛奶的饮品必须在钙和蛋白质含量上与牛奶相同。因此,水、果汁或加钙的果汁不可作为牛奶的替代品,因为它们不可以替代蛋白质,但是植物性的奶品如豆浆则可。若要取得进一步资讯,判断替代食物是否可以得分,可询问教师:"儿童不吃的食物/饮品,如何决定以什么来替代?"

5.1　儿童小组的人数应根据儿童的年龄和能力而定。年龄较小的婴儿应个别喂食。年龄较大的婴儿每组人数应不超过 2—3 名。学步儿和 2 岁儿童每组人数应不超过 6 名。在判断小组人数是否合理时,需观察了解小组的规模是否能让儿童获得在良好环境下所应得的正面互动和支援。但是,不要混淆小组规模的作用与其他可能影响儿童需要是否得到满足的因素,例如教师的特性或在场教师的人数。绝对不可在食堂之类有很多儿童一起进餐的环境中喂食婴儿和学步儿。

5.2　如果儿童在正餐/点心时间的体验是负面的话,便不能给分。

5.3　75% 的时间能够做到所有三个基本卫生程序(洗手、清洁进食时使用的平面、确保食品不受污染)的要求。

5.5　如果全部食物由家长准备,评"不适用"。

问题:

1.2、3.2　如果家长为孩子准备的食物不充足,或家长准备的食物不能满足孩子的需要,你会怎么做?

3.5　如果孩子对食物过敏,你会怎么做?

7.2　你有机会和家长谈论他们孩子的营养状况吗?*如答"有",则问:你们会谈些什么问题?*

不足		最低标准		良好		优良
1	2	3	4	5	6	7

项目(8):午睡 *

1.1 午睡的安排不合适(例如:睡得太早或太晚;拥挤的空间;睡着的儿童被响声、亮光,或其他儿童打扰;让年幼的婴儿俯睡;给婴儿使用软的枕头;婴儿的头被盖住)。*

1.2 很少或没有看管(例如:教师没有经常查看睡着的儿童)。

1.3 把儿童不恰当地留在婴儿床或小床、垫子等上面(例如:儿童醒着及心情愉快时超过15分钟,或不开心时超过2—3分钟;用婴儿床来惩罚儿童让他中止活动)。

3.1 每个儿童的午睡都安排恰当。

3.2 午睡/休息的设施有益健康(例如:婴儿床/小床/垫子之间距离至少91厘米,除非有实物的间隔;每个儿童都有干净的被褥)。*

3.3 儿童在午睡时有充分的监察。*

3.4 婴儿床(或小床、垫子)用来睡觉,不用来进行延伸游戏。

5.1 午睡安排个人化(例如:婴儿床/垫子放在固定的地方,熟悉的措施,学步儿有专用的毛毯或毛绒玩具)。

5.2 让学步儿容易适应集体时间表(例如:为疲倦的学步儿提供安静的地方,让他们先睡下)。
可评"不适用"

5.3 教师的看管是令人愉快、有反应和亲切的。*

7.1 帮助儿童放松(例如:播放轻柔的音乐,轻拍背部安抚儿童)。

7.2 为不睡觉的儿童提供活动(例如:较早醒来或不午睡的儿童可以玩安静的游戏,把婴儿抱到床外玩耍)。

* 注释：

项目(8)：无论每天的课程时间有多长，都应在个别婴儿、学步儿和 2 岁儿童感觉困倦时让他们午睡。但是，如果课程时间少于 4 小时，午睡不是日常程序的一部分，而且儿童似乎也不觉得困倦，这项目可评"不适用"。由于周边可以垂下的儿童床不再被认为对儿童安全，应在午睡和安全的项目中考虑这问题。

1.1、3.2　"合适及健康"的午睡安排，要求把睡着的儿童留在婴儿床上而不是秋千、婴儿椅等地方，因为那些地方通常都不是专给一名儿童使用（卫生），而且一般也没有足够的措施防止其他儿童活动的干扰（安全）。但一个特殊情况可能是：婴儿在婴儿床里不能安睡，让他睡在其他地方反而更好。如果此情况属实，则应确保儿童是安全的，不会受到活跃儿童的打扰，而且也须符合卫生要求。如果儿童不在婴儿床上午睡，一定要询问教师有没有特别的原因。

　　根据 *Caring for Our Children* 所载有关儿童睡眠与死亡的最新政策声明（美国儿科学院等），毛毯对一岁以下睡眠中的儿童会构成危险。必须把毛毯或任何其他软质材料（例如玩具和防撞软垫）剔除于幼儿的睡眠用品之外，才算安全。

　　Caring for Our Children 第三版要求摇床、床垫或儿童床之间须相隔 3 英尺（91 厘米）。结实的屏风或其他屏障（比如儿童床的栏杆或玩具架）便不可接受，因为它们必须由地面伸至天花板，以防止空气传播的污染由一个儿童传给另一个儿童，而且它们也会妨碍监察。如果至少 75% 的摇床/床垫/儿童床相隔 3 英尺，而没有儿童床的距离少于 24 英寸（61 厘米），1.1 便应评"否"。除非每个睡眠平面之间相隔 3 英尺，否则 3.2 不能得分。

　　应让婴儿仰睡，但容许他们自己其后采取喜欢的睡姿。需有

医生的证明才可不依此例。

1.1　2011 年版的 *Caring for Our Children*（第 99 页）指出，幼儿机构襁褓儿童的做法牵涉严重的卫生风险，而且没有必要及不值得鼓励，故此在这指标下应对襁褓加以考虑。

3.3　"充分的监察"是指有足够的教师保障儿童的健康和安全，并照看醒着的儿童。教师应保持警觉，目光注视需照顾的儿童。

5.3　如果没有看到午睡，应根据观察所得评价教师的监管素质。同时参考教师提供的有关管理儿童午睡的资料，尤其是那些负责管理午睡而你没有观察到的教师。

问题：

如果没有看到午睡的情况，则问：午睡时我不在这里，请问午睡是怎么安排的？然后可以提出更具体的问题：

1.1　孩子们睡在哪里？小床/垫子是怎么放置的？

1.2　谁负责看管孩子们午睡？具体是怎么看管的？

5.2　如果有孩子在午睡前就感觉困倦，你会怎么做？

7.2　如果有孩子午睡时很早就醒了，你会怎么做？

不足		最低标准		良好		优良
1	2	3	4	5	6	7

项目(9)：换尿片/如厕 *

1.1 有关区域很少保持卫生(例如：便盆椅没有消毒，尿片没有妥善弃置，换尿片的平台用后没有消毒，不冲洗马桶)。*

1.2 在满足换尿片/如厕的需要方面有重大问题(例如：尿片很少更换，强迫儿童坐在马桶上太长时间，缺少纸巾、自来水、肥皂或消毒液等用品)。

1.3 教师和儿童在换尿片/上厕所后常常不洗手。*

1.4 对儿童的看管不足或令人不快。*

3.1 至少有一半时间保持卫生(例如：若只有一个水槽，在用于换尿片/如厕以及处理食品之间进行消毒；便盆椅每次用后都清理，并在专门的水槽中加以消毒)。*

3.2 通常能以恰当的方式满足换尿片/如厕的需要(例如：个别化的时间表，其中包括至少每2小时检查一次尿片的安排；用品随时供应)。*

3.3 教师和儿童通常在换尿片/如厕后洗手。*

3.4 就儿童的年龄和能力来说看管足够。

5.1 通常保持卫生，只有一点小失误。*

5.2 容易保持卫生(例如：不使用便盆椅，换尿片的平台旁边或厕所有暖自来水供应，设施的表面易于清洁)。

5.3 设施容易到达及方便使用(例如：用洗手盆和马桶时有台阶帮助；供残障儿童使用的扶手；厕所邻近活动室；换尿片的平台旁边放置必需用品，伸手可及；换尿片的平台对教师而言用起来很舒服)。*

5.4 愉快的师生互动。*

7.1 卫生情况一直保持良好。*

7.2 提供儿童尺寸的马桶以及低矮的洗手盆。*
可评"不适用"

7.3 当儿童条件成熟时鼓励其发展自理技能。

注释：

项目(9)：在最新的第三版 *Caring for Our Children* 第 106—108 页中，受评估的换尿片程序有所更改。首先，由小孩肩膀以至脚部以外的垫纸必须不吸水。换尿片的平台必须消毒，但只要平台铺纸而且没有明显的污秽，便不必事先清洗。如果平台不铺纸，便须清洗表面（可用 wipe，即带洁剂的湿纸巾），然后消毒，不管上面有无明显的污秽。评分时应以此作为正确的做法。第二，清洁小孩时，脏尿片应留在小孩下面，之后应把尿片折叠包起，适当地弃置。有关最新的换尿片程序，请参看 *Caring for Our Children*，或于 www.ersi. info 网页寻找新的通讯。

关于更换儿童的尿片、其他用完即弃的内衣或污秽衣物的资料，参看 2011 年版的 *Caring for Our Children* 第 108—109 页。

就去除细菌的功能来说，"清洁"(cleaning)、"洁净"(sanitizing)及"消毒"(disinfecting)有相关之处，但也有差别。为了加以区分，*Caring for Our Children* 一书指出，清洁是指借肥皂、水及摩擦去除实体的污垢及污染物，从而使任何残留的细菌暴露于干爽清洁的表面。洁净是指将一件静物的表面或一个物体上的细菌减少至安全的水平。消毒则表示将一件静物的表面或一个物体上的细菌毁灭。处理接触食物的表面或任何放入口中的物品时应使用洁净剂。消毒剂应该只用于换尿布平台、厕所、柜台、门及橱柜的把手。唯有美国国家环境保护局(EPA)批准的产品才可接受，而且所有洁净剂及消毒剂必须按照容器上的说明使用，以策安全。

Caring for Our Children 就使用稀释漂白水进行洁净及消毒发出新的指引，因为许多著名品牌的公司改变了它们的漂白水，所以各品牌的漂白水已不一致。新的指引建议大家只采用已向 EPA 注册的产品来洁净及消毒，于稀释漂白水及决定漂白水的接触时间时遵照制造商的指示。

1.1、3.1、5.1、7.1　保持卫生的目的在于预防尿液或粪便中的病菌污染教师或儿童的手、换尿片平台的表面、用品收纳箱、橱柜的门，或任何其他儿童和教师会触摸到的物体表面。换尿片时手套可戴可不戴，但戴手套会有帮助。每天应配制新的消毒漂白水，以 1 茶匙家用漂白水配 1 夸脱(946 毫升)清水，或 1/4 杯漂白水配 1 加仑(3.8 升)清水；又可采用经 EPA 登记的消毒液，并依照说明使用。

为了降低肠胃疾病的传播，以下的措施是必要的，且在评价此项目时应予以考虑：

● 把换尿片的区域与准备食物的区域隔离，包括每区各自备有水槽。如果同一个水槽不只用于换尿片/如厕，那么在换尿片/如厕的使用后应将水龙头和水槽消毒。
● 教师把孩子带到换尿片区域之前应先做好准备工作：
——若操作平台铺纸，须更换纸张，盖住从儿童肩膀到脚跟的台面（万一在换尿片的过程中纸张被弄脏，则必须把它折叠，然后继续使用干净的一面）
——足够的湿纸巾供换尿片之用（包括帮儿童脱掉脏尿片之后成人用来擦手以及擦拭儿童的臀部）
——一张干净的尿片、装脏衣服的塑胶袋，以及干净的更换衣服（如预见会弄脏衣服）
——防水手套（如果使用的话）
——在用完即弃的纸张或纸巾上准备一点尿片霜（如果使用的话）
——在换尿片之前应先把用品取出
● 每次换尿片后都应将操作平台的表面消毒（所有表面都必须是

41

可以进行消毒的——也就是说，操作台上应没有棉垫或安全带，也没有摆放着收纳箱）。消毒程序要求，首先用肥皂和水清洁操作台表面，抹干，随后用漂白水消毒，让台面自行风干至少2分钟，然后抹干。

- 脏尿片应弃置于不需用手操作的有盖桶内（通常用脚踩踏板就可打开桶盖的那种），以避免再次污染物品表面。

- 换尿片时儿童玩过的玩具或触摸过的物品，必须另置一旁等待消毒。

  EPA 批准的另一"消毒剂"（不是"洁净剂"）可用来代替常用的稀释漂白水。检查原装容器的标签，寻找"EPA 消毒剂"的注明。须肯定所有用法指示已经遵守，否则消毒表面便不能得分。适当的话，使用替代消毒剂的安全问题（例如须冲洗残留物而没有照做，或没有把消毒剂置于儿童接触不到的地方），应于此项目中的监管指标下加以考虑，或于"安全"的项目中作出评估。

1.3、3.3　婴儿、学步儿和教师应当用洗手液和自来水洗手，至少20秒钟。

- 每次换完尿片后须用洗手液和暖自来水彻底洗净儿童的手。

  由于湿纸巾或免洗消毒剂不能有效去除病菌，因此不可代替洗手。为避免有特殊情况的儿童（例如：不能控制头部的新生儿；难以控制身体的超重儿）受到伤害，也可用一次性纸巾代替。

- 把肮脏的尿片、湿纸巾和手套（如果使用的话）扔进免手开的有盖桶后，儿童和照料者须用湿纸巾擦手。

- 每次为儿童检查过及换过尿片，并对尿片台表面进行消毒后，成人应做的最后一个步骤是用暖自来水和肥皂彻底洗手。这一步必须在接触房间内的其他物品前做妥。洗手程序通常在将尿片台喷洒消毒剂后宣告完成。如果让尿片台风干两分钟或更长时间后再把它抹干，那么抹干后就不必再次洗手了。

参看第 18 页"量表术语解释"中"洗手"。

执行洗手程序时可以有轻微的不足（没有搓手 20 秒，但手部表面都经彻底洗擦；没有先湿手，但肥皂仍产生泡沫；关水龙头时不用纸巾）。不过，双手应得到合理的清洁。如果通常完全忽略洗手，1.3 应评"是"。如果需要洗手时，通常会出现完成洗手的尝试，即使程序没有做完，1.3 和 3.3 都应评"否"。如果有显著的尝试显示要完成所有要求的洗手程序，即使部分程序没有做到绝对正确，1.3 和 3.3 都应评"是"。

1.4　"看管不足"是指教师没有为保障儿童的安全进行监控或没有确保卫生程序的落实（如洗手）。如有任何以令人不快的方式对待儿童的情形，或看管上的失误而足以对儿童构成任何危险者，评"是"。

3.2、3.3、5.1　"通常"表示在观察过程中有 75% 的时间各类工作都是按照程序实施的，而且没有发现重大问题。换言之，实践中较少失误，例如没有给一名儿童洗手，或有一次没有对尿片台进行消毒。

5.3　教师使用起来觉得舒适的尿片台可以避免他们背部受伤或动作不便；例如，操作台的高度应为 28—32 英寸（71—81 厘米），且配有台阶供学步儿使用。

5.4　如要得分，大多数的师生互动须是正面的，只有少数是中性的，而完全没有负面的。

7.2　厕所和洗手盆必须小于成人的尺寸，且至少 75% 的儿童无需成人的帮助或改装即可使用，有特殊需要的残障儿童除外。

不足		最低标准		良好		优良
1	2	3	4	5	6	7

项目(10):卫生措施*

1.1 教师一般没有采取措施减低细菌的传播(例如:忽视洗手,肮脏的玩具和设施,户外游戏场地有被动物污染的痕迹,鼻子很少擦干净,儿童共用安抚奶嘴,儿童吐出来的东西没有恰当地清理消毒)。*

1.2 室内或户外照料儿童的地方允许吸烟。

1.3 没有隔离患传染病的儿童(例如:腹泻的儿童仍然留在班里)。*

3.1 教师通常采取行动减低细菌的传播(例如:每天清洗嘴里含过的玩具;给每个儿童使用不同的毛巾/浴巾;牙刷放起来防止污染;需要时使用纸巾,用后恰当地将之弃置;户外的沙子没有明显的污染;不共用个人用品如梳子、刷子)。*

3.2 为了保障健康,需要洗手时儿童和教师至少有75%的时间能做到。*

3.3 准备了额外的衣服,儿童有需要时可以替换。

3.4 所有药物的服用都处理恰当。*
可评"不适用"

5.1 无论在室内还是户外,儿童都得到良好的照料,以满足其健康需要(例如:穿着适宜,更换弄湿或弄脏的衣服,在户外时做好防晒工作,脸洗干净,玩会弄脏的游戏时穿上罩衫,给流口水的婴儿使用围兜)。*

5.2 儿童和教师保持洗手以保障健康。*

5.3 教师是卫生习惯的好榜样(例如:在儿童面前只吃健康食物,穿着配合天气的衣服,指甲易于清洁)。

5.4 户外用于游戏的沙子干净,并且不用时加以覆盖。
可评"不适用"

7.1 鼓励儿童管理个人卫生(例如:教师一边实践卫生措施一边向儿童解说,教导儿童正确的洗手方法,向儿童演示自己穿外衣的方法,使用有关健康的图书、图片、歌曲)。

7.2 全日制课程中的学步儿每天至少使用自己的牙刷一次。*
可评"不适用"

7.3 为家长提供来自认可卫生组织的资讯(例如:美国农业部(USDA)的营养小册子,美国儿科学会(American Academy of Pediatrics)的儿童疾病宣传册)。

*注释：

项目(10)：项目7、8和9已涵盖换尿片/如厕、正餐/点心以及午睡的卫生措施，因此项目10评分时不予考虑。

1.1、3.2、5.2　参看第18页"量表术语解释"中"洗手"。

1.1、3.2　执行洗手程序时可以有轻微的不足（没有搓手20秒，但手部表面都经彻底洗擦；没有先湿手，但肥皂仍产生泡沫；关水龙头时不用纸巾）。不过，双手应得到合理的清洁。如果通常完全忽略洗手及其他卫生问题，1.1应评"是"。如果需要洗手时，通常会出现完成洗手的尝试，即使程序没有做完，1.1应评"否"。如果有显著的尝试显示要完成所有要求的洗手程序，即使部分程序没有做到绝对正确，3.2应评"是"。

1.3　有说服力的隔离理由包括：(1)发烧而且行为出现变化表明儿童无法参加活动；(2)儿童需要的照顾超乎照料者所能合理提供，而且照料者仍须兼顾其他儿童；(3)儿童出现问题（如腹泻）需加以隔离，以防其他儿童被传染。感冒最容易传染的时期是症状出现之前的流鼻涕阶段。流绿色和黄色的鼻涕并非传染病的征兆。

3.1　"通常"是指卫生程序没有大问题，只是偶尔有一些小失误，例如没有立刻给儿童擦鼻涕，或没有恰当地弃置用过的纸巾。

3.2　洗手的定义见第18页。给这指标评分时应追踪四类洗手行为，分别是：

(1)　初到活动室以及从户外回到活动室时

(2)　玩水前后（如果水是共用的）；玩过会弄脏的游戏后，如玩沙或使用颜料、胶水

(3)　处理完体液（例如鼻涕、血液、呕吐物、唾液），或与裂开的脓疮或患有潜在传染性皮肤病的儿童经过颇多皮肤接触之后

(4)　接触过肮脏的表面/物体，如垃圾桶、宠物。观察员评分时须知道对象应该何时洗手。这意味着她/他应当看到（和听到）应该洗手的迹象。例如，观察员应聆听有没有儿童和教师咳嗽或打喷嚏，细看有没有人流鼻涕和擦鼻子后有没有适当地洗手。她/他应当在评分表上记录适时洗手以及忽略洗手的情形。教师和儿童的75%洗手率须分别计算，各以四类洗手的总次数作为基础。如果教师或儿童任何一方的洗手次数低于其应该洗手次数的75%，则指标3.2应评"否"。

3.4　教师只可让儿童服用医生为特定儿童开具处方的药物。教师给儿童服用的药物只能来自内附专业保健人士说明书的原装容器。如果受照顾的儿童不需要服用药物，评"不适用"。

5.1　儿童穿着的衣服不应使他们觉得太热或寒冷（例如：热天到户外时不穿长袖运动衫，冷天弄湿衣服要换掉）；儿童在游戏区要有遮太阳的地方及采取防晒措施，例如在多云或晴朗的日子上午10点至下午2点这段时间到户外时应涂防晒油、戴帽子，以及穿防晒服。

7.2　每天6小时或以下而且没有学步儿的课程，评"不适用"。如果使用牙膏，确保儿童自用的牙刷不会用了别人的牙膏，为避免交叉感染，应先在一次性纸巾上挤一点牙膏，然后再将豌豆大小的分量放到每个儿童的牙刷上。

问题：

1.2　室内或户外照料儿童的区域是否允许吸烟？

3.3　需要时是否有备用的衣服可供儿童更换？

7.3　你为家长提供健康资讯吗？*如答"是"，则问：可以举些例子吗？*

不足		最低标准		良好		优良
1	2	3	4	5	6	7

项目(11):安全措施*

1.1 室内有四个或以上可能导致严重损伤的危险因素。*

1.2 户外有四个或以上可能导致严重损伤的危险因素。*

1.3 室内外保障儿童安全的监管不足(例如:教师人数太少,教师忙于其他工作,具有潜在危险的地方附近没人看管,没有签到或离园的程序)。

3.1 室内和户外共有不超过3个可能导致严重损伤的危险因素。*

3.2 室内外有充分的监管,以保障儿童的安全。

3.3 具备处理紧急事故的基本必要设施(例如:机构内设有附紧急号码的电话,随时可用的急救箱,张贴出来的书面应急程序,机构内一直至少有1位受过儿童急救训练——包括处理呼吸道堵塞和人工呼吸——的教师)。

5.1 室内和户外没有可能导致严重损伤的危险因素。*

5.2 教师通常能预估会出现的安全问题,并采取预防措施(例如:移开攀爬架下的玩具;关闭闸门或锁住危险的地方,使儿童待在安全区域;把溅泻的东西拖干净,防止滑倒;避免儿童使用容易破裂的物品)。*

7.1 教师帮助儿童遵守安全规则(例如:防止滑梯出现拥挤的情况;儿童如果攀爬家具,教师一定介入)。*

7.2 教师向儿童解释为什么要制定安全规则(例如:"我们要对朋友友好,因为咬人会痛。""当心,这个很烫。")。*

* 注释：

项目(11)：由于周边可以垂下的儿童床不再被认为对儿童安全,应在午睡和安全的项目中考虑这问题。

1.1、1.2 在评价这两个指标时,不考虑不大可能造成严重损伤、毋需住院或求医的安全小问题,除非观察到 6 个或以上这样的小问题。

1.1、1.2、3.1 注意要把所有安全问题记录在评分表上。以下列出的危险并不完全涵盖所有的安全问题。

一些室内的安全问题：

- 电源插座外没有安全罩;儿童可以接触到电线
- 儿童可以接触到绳子、电线
- 有儿童可以拉下来的重物或家具
- 没锁好药品、清洁剂、杀虫剂、喷雾器,以及贴有"儿童勿近"标签的物品
- 使用漂白剂时,儿童会吸入喷雾(例如:儿童正坐在桌子旁)
- 使用儿童能在地板上随意移动的学步车,或让婴儿使用豆袋椅
- 水或其他儿童能够触摸到的东西表面过热(例如,成人无法触摸超过 30 秒的过热表面,或用肉类温度计测量超过华氏 120 度/摄氏 50 度的表面)
- 儿童可以拿到图钉或书钉
- 婴儿床/游戏圈的围栏或围网可能使儿童受困(例如:栏杆间的距离超过 6 厘米;折叠式的围网)
- 绊倒的危险,例如地垫或地毯容易滑动,或边缘卷起
- 使用中的电暖炉或加热器不设防
- 开放式的楼梯井(例如:儿童可以攀爬栏杆或穿过其间隙)
- 可能造成窒息的小物件(例如:直径小于 $1\frac{1}{4}$ 英寸或 3 厘米、长度小于 $2\frac{1}{2}$ 英寸或 6.4 厘米的物体,或直径小于 $1\frac{3}{4}$ 英寸或 4.5 厘米的球体)
- 换尿片的操作台没有设置 6 英寸或 15 厘米高的边缘,以防止儿童从台上掉下
- 婴儿床的床垫不紧贴床架(例如:床垫和床架之间可以塞进 2 个或更多个手指)
- 婴儿床横挂玩具,儿童坐起来或爬起来时可能导致缠颈的意外
- 婴儿入睡时俯睡或侧睡,而非仰睡
- 教师抱起婴儿/学步儿时抓住他们的手臂或手,可能造成儿童关节损伤
- 成人难以升高或降低婴儿床的围栏,而且床垫表面距离围栏顶部不足 20 英寸(51 厘米)
- 儿童可以拿到泡沫塑胶物品、塑胶袋,或乳胶(橡皮)气球
- 儿童可能在没有看管的情况下接近蓄水容器(例如:马桶、5 加仑水桶、涉水池或喷水池)
- 由于年龄较大的婴儿能借助任何可以触及的物体站起来,因此所有他们可以触及的设施都应是不易翻倒、不摇晃或不会坍塌的。如果婴儿房内有秋千和摇椅,这些设施应放置在儿童不大可能用来借力让自己站起来的地方。如果把它们放在儿童经常借力站起来的地方,应算作安全隐患。

一些户外的安全问题：

- 游戏区域未设栅栏或屏障,以防止儿童离开特定的安全区域
- 儿童可以拿到非供他们使用的工具
- 没有锁好所有危险物品(例如:贴有"儿童勿近"标签的东西)

- 存在尖锐或危险的物体
- 儿童可以进入不安全的走廊或楼梯
- 儿童可以独自走到马路或车道上
- 可以接触到危险的垃圾
- 游戏设施距离防跌的铺垫地面过高(例如:儿童每年长 1 岁,超出的高度增加 1 英尺或 30 厘米)、维修欠佳、不牢固。游戏设施中有 $3\frac{1}{2}$ 至 9 英寸或 8.9 至 23 厘米宽的空间,可能卡住儿童头部;或有 $\frac{3}{8}$ 至 1 英寸或 0.95 至 2.45 厘米宽的间隙,可能夹住儿童的手指。其他的危险因素还包括狭窄的部分、突出物、防跌区地面铺垫不足

5.1 如要得分,必须不存在严重的安全问题,或者只观察到不超过一个轻微的问题。

5.2 必须观察到教师至少做过一次明显的尝试以防止出现安全问题,才可给分。但是,如果所有区域都很安全,没有问题出现,则指标也可得分。

7.1 观察员必须至少看到一个例子,显示教师帮助儿童遵守安全规则,才可给分。教师必须口头告知安全规则,并且采取行动帮助儿童遵守规则。

7.2 至少要观察到一个实例,指标才可得分。

问题:

3.3 为应付紧急事故,你可以使用什么设施?

进一步的提问,例如:

你如何处理紧急事故?

有没有教师接受过婴儿/学步儿的急救训练,包括处理呼吸道阻塞(窒息)以及恢复呼吸的训练?

有没有急救箱供你使用? 可让我看一下吗?

在紧急情况下,有没有求助电话可以使用?

聆听与说话

不足		最低标准		良好		优良
1	2	3	4	5	6	7

项目(12):帮助儿童理解语言 *

1.1 很少或没有跟婴儿和学步儿说话(例如:教师通常与同事交谈,却很少跟儿童说话)。

1.2 噪音不断干扰儿童聆听语言的能力(例如:每天大部分时间播放大声的音乐,整天有哭喊声,教室的隔音设备不足)。*

1.3 教师经常用一种令人不快的方式与儿童说话(例如:语调严厉,频繁的恐吓,负面的话语)。*

3.1 一天里有适量时间与儿童谈话(例如:"让我们来换掉你的尿片吧!""看,小球正在滚动!")。*

3.2 活动室里相当安静,儿童能够听清语言。

3.3 教师通常用中性或令人愉快的语调和儿童谈话。*

3.4 说话的内容通常令人鼓舞和正面,而不是令人沮丧和负面的。*

5.1 在一天的日常照料和游戏过程中,教师频繁地跟儿童说话。*

5.2 教师的话语对儿童是有意义的(例如:谈儿童正在感觉到的、进行中的,或体验到的事情;使用儿童能够理解的简单句子;需要时使用手势以丰富言语的含义)。

5.3 个别化的口头交流(例如:与儿童有眼神接触,喊儿童的名字,用儿童的基本语言与儿童说话,需要时使用示意动作或另类沟通方式)。

7.1 教师与儿童交流时使用各种简单的、准确的词语(例如:给许多不同的物体和动作命名,使用描述性的词语)。

7.2 教师和儿童一起玩语言游戏(例如:重复婴儿发出的声音,以嬉戏的方式给单字押韵)。

7.3 教师和儿童谈各种不同的话题(例如:谈感受;除了给物体和动作命名外,还用语言表达儿童的心意)。

不足		最低标准		良好		优良
1	2	3	4	5	6	7

5.4 教师与儿童交流时通常使用简单的、描述性的语言形容物体和动作(例如:"请拿红色的小卡车给我。""你站起来了!")。*

* 注释:

项目(12):尽管本项目中的质素指标普遍适用于各种文化和个体,但表现这些质素的方式可能有所不同。例如:声调可能不同,有些人说话的声音听起来很兴奋,有些人则相对平静。但无论教师的个人沟通风格如何,指标的要求必须达到,虽然语言的表达有时略有不同。由于频繁的语言互动对于发展儿童的语言能力有重要的影响,因此应根据整个观察过程中看到的常规实践进行评分。符合要求的事例应遍布于整个观察过程,而非单独的特例。

1.2 如果隔壁房间发出扰人的噪音,评分时应加考虑。

1.3 在观察过程中如果发现教师使用令人不快的语调或说出负面的话三次或以上,即使同时观察到很多正面的语言互动,也应评"是"。

3.1 如要得分,教师必须在日常照料及游戏的过程中与儿童说话。

3.3 观察到教师使用稍为负面语调的例子不超过两个,指标才可得

分。教师如有任何使用极度令人不快或非常严厉的语调与儿童说话的情形,则不给分。

3.4 教师的说话内容必须约75%是正面和令人鼓舞的,其余可以是中性的。

5.1 尽管教师说话的多寡各不相同,但是所有教师必须使用中性或令人愉悦的语调。必须观察到教师的说话是令人愉悦或中性的,并且不应看到教师有长时间的沉默。

5.4 在判断教师所用的是否描述性语言时,可以问你自己:如果只听不看,你能否明白教师在说什么?

不足		最低标准		良好		优良
1	2	3	4	5	6	7

项目(13):帮助儿童使用语言*

1.1 儿童通过手势、声音或语言尝试沟通,教师很少或没有作出积极的回应。*

1.2 当儿童尝试沟通时,教师往往不理会或作出负面的回应。

3.1 儿童尝试沟通,教师整天里适度地作出语言或非语言的积极回应;很少或没有不理会或作出负面的回应。*

3.2 教师整天里有时尝试正确理解儿童的心意(例如:为了让哭泣的孩子安静下来,教师试过一种方法无效后,会尝试另一种方法去了解幼儿不清晰的语言)。*

5.1 儿童尝试沟通,教师通常以及时和积极的方式作出回应(例如:快速回应哭泣的孩子,应对儿童的口头请求,游戏时有兴趣地回应儿童的交流)。*

5.2 教师整天里采取一边做事一边用言语说明的方式回应儿童(例如:"我替你换尿片。现在你全身都干爽了,是不是觉得好些?")。*

5.3 教师善解儿童心意,并经常恰当地跟进到底(例如:"我知道你饿了,我们去吃些点心吧!""你不想玩积木了?这里有些图书。你不要?哦,你想让我抱抱!")*

7.1 教师和儿童有许多轮流对话(例如:模仿婴儿声音的往返式"婴儿对话";重复学步儿的话,然后让他再次说话)。

7.2 教师在儿童的话语中加入更多词语和内容(例如:当儿童说"果汁"时,教师回应说:"这是你的橙汁。在你的杯子里。")*
可评"不适用"

7.3 教师向儿童提简单的问题(例如:问婴儿一个问题,随之回答:"这幅图画画了什么?画了一条狗和一根骨头。"稍候让学步儿回答,然后才给予答案)。*

	不足		最低标准		良好		优良
1	2	3	4	5	6	7

7.4 教师通常能在聆听与说话之间保持良好的平衡（例如：让儿童有时间处理讯息并回答问题；对婴儿多说一点，但让学步儿自己多说一点）。

*注释：

项目(13)：在判断教师回应儿童的比例时,不必计算出确切的百分比。只需根据普遍的实践情况进行评分即可。

1.1 如果教师对儿童的沟通尝试报以积极回应的比例远低于50%，评"是"。

3.1 "适度"要求当儿童尝试沟通时,教师至少有半数时间给予积极的回应,没有负面的回应,而且很少或没有不理会的情形。

3.2 观察到教师尝试正确理解儿童的心意。这种情形至少占整段观察时间的一半。

5.1 如要得分,教师须至少有75%的时间即时积极回应儿童的沟通尝试,并且对明显有需要的儿童不应予以负面的回应或让他们久候。通过观察,确认教师密切关注和积极回应班里所有儿童,包括那些需求较少的儿童。

5.2 如要得分,必须在日常照料和游戏活动的过程中观察到很多实例。

5.3 如要得分,教师必须至少有75%的时间能够准确说出儿童的心意,并继而采取行动,成功满足儿童的需要,很少例外。

7.2 如果没有会说话的儿童,可评"不适用"。

7.3 如要得分,至少要观察到两个事例,显示教师向儿童提出简单的问题,等待儿童回答。如果儿童自己无法回答,教师才替他作答。

不足		最低标准		良好		优良
1	2	3	4	5	6	7

项目(14):图书的使用

1.1 一天中大部分时间可取用不超过 6 本适合婴幼儿的图书。*

1.2 图书一般保养不佳(例如:破烂或不完整,撕破的图片,书本被涂污)。*

1.3 教师没有和儿童一起使用图书。*

3.1 一天中大部分时间可取用至少 6 本适合婴幼儿的图书(而且班里的儿童至少可以人手一本)。*

3.2 几乎所有图书都保养良好。*

3.3 教师每天和儿童一起使用图书(要不是由教师发起,就是由儿童发起)。*

3.4 当儿童感兴趣的时候才鼓励儿童参与,不强迫儿童参与。*

5.1 一天中大部分时间可以取用至少 12 本适合婴幼儿的图书(而且班里的儿童至少每人可有两本)。*

5.2 可使用的图书内容广泛。*

5.3 教师每天给有兴趣的个别儿童或小组儿童诵读图书。*

5.4 图书时间是温馨和互动的(例如:教师一边怀抱着婴儿一边诵读,允许学步儿翻书页并指着插图)。*

7.1 设立图书角让学步儿独立使用。*
可评"不适用"

7.2 教师一天中会定时与儿童一起看书。*

7.3 添加或更换图书以保持儿童的兴趣。*

注释：

1.1、3.1、5.1　适合的图书举例：以耐用的塑胶、布或硬纸制成的图书，插图适合婴儿和学步儿。图书可以是自制品或是商业产物。以年长儿童或成年人为对象的图书不符合此项目的要求。"一天中大部分时间"如要得分，这指标所要求的图书数目必须达到。

1.2　若超过 50% 可取用的图书保养不佳，评"是"。

1.3　如果没有观察到教师和儿童一起使用图书，或者教师报告称一周里和儿童一起使用图书少于三次，评"是"。

3.1　有封面、不缺页的完整图书才可得分。不适合班里儿童的图书（例如：太艰深、太简单、恐怖、暴力）不能算在 6 本书内。

3.1、5.1　图书的数量要求根据班级的最高登记人数计算，而非以特定某一天的出席人数为标准。

3.2　"保养良好"是指图书的封面完整，内页没有破损、涂污或缺少。一些不影响图书使用的小问题（轻微的破损、涂污、咬痕），可以接受。要符合这指标的要求，儿童可取用的图书中保养欠佳的不能超过 3 本。破损的图书不能算作符合指标 1.1、3.1 及 5.1 的图书数目要求。

3.3　如要得分，须至少观察到一个实例，或教师报告称会在日程表上所示的另一时间和儿童一起使用图书。

3.4　如果儿童必须参与，但他们很快便投入活动，明显地乐在其中，那么应评"是"。不要评"否"，除非儿童不投入，不享受活动，又不能离开和做别的事情。

5.1　如要得分，图书不能包含暴力或恐怖的内容。

5.2　图书内容广泛，包括不同种族、年龄和能力的人物；动物；熟悉的东西；熟悉的日常活动。

5.3　至少要观察到 1 个实例，指标才可得分。

5.4　必须观察到指标所描述的情形，才可给分。任何使用图书的时间（如集体故事时间）如有不温馨和不互动的情形，即使其他较非正式的图书时间是温馨互动的，也不给分。

7.1　如果一个区域内除图书外还有很多玩具和材料，则该区域不可视为图书角。

7.2　在整个观察过程中须看到教师与儿童一起看书的几个实例。

7.3　至少每个月添加或更换一次图书，才可得分。

问题：

7.3　你添加或更换摆出来给儿童使用的图书吗？*如答"是"，则问：多久添加或更换一次？添加哪种类型的图书？*

活动

不足		最低标准		良好		优良
1	2	3	4	5	6	7

项目(15):小肌肉活动

1.1 日常没有合适的小肌肉活动材料可以使用。*

1.2 材料保养欠佳。

3.1 有一些合适的小肌肉活动材料供日常使用。*

3.2 一天大部分时间可以取用材料。

3.3 材料普遍保养良好。*

5.1 一天大部分时间可以取用许多不同的合适的小肌肉活动材料。*

5.2 材料整理得很有条理(例如:类似的玩具存放在一起;每套玩具用独立的容器存放;根据需要拿玩具,玩后归类再存放起来)。

7.1 材料循环供应,使品种多样化。*

7.2 提供不同难度的材料(例如:同时提供一些具挑战性的和一些简单的材料给小组中的所有儿童,包括残障儿童)。*

1.1 如果一天中有时候可以拿到的完整可供使用的小肌肉活动材料不超过三个,评"是"。

1.1、3.1、5.1 合适的小肌肉活动材料举例:

● 婴儿——抓握玩具、"百宝箱"(Busy Box)、套杯、用以填满东西再倒出来的容器、质感玩具、摇篮健身器。

● 学步儿——形状分类游戏、大颗的串珠、大插孔棋连插孔棋盘、简单的拼图、啪啪串珠(pop beads)、堆叠环、嵌套玩具、中等或大型的连锁积木、蜡笔。

3.1、5.1 决定要点算多少儿童可取用的小肌肉玩具时,必须考虑班上儿童的发展水平,以及所见的每件玩具是否完整,足以增长儿童的小肌肉发展。我们预期儿童发展到某阶段能如何使用特定的玩具,这种预期对评分也有影响。例如:对只会抓握及拍打的年纪最小的幼儿来说,个别的物件(拨浪鼓、细小的软质动物玩具等)可每件算作一个样例。不过,所有属于一套玩具的组件只可算作一个样例,即使儿童利用的是个别的组件。因此,叠环玩具的所有个别圆环,或接连玩具的所有连接组件,都只算作一个样例,即使各圆环以一个盛载幼儿抓握玩具的桶子包装。

决定一个可操作的套装(叠环、接连玩具、拼合积木、啪啪串珠、插孔棋盘连插孔棋)应有多少组件时,有益地使用玩具以促进发展这个期望也必须加以考虑。明显地,任何拼图必须图块齐全才能成为一个可操作的套装,因为完成拼图有一正确方法,而所有图块都是必要的。不过,即使上述较少硬性规定的材料,于决定其可操作套装应包括什么时,仍须考虑大家对它们促进发展的期望。举例来说,一个9至12个月大的小儿如使用啪啪串珠,一个套装可能只要求三至四颗珠子。但对较年长的儿童来说,一个套装要求的珠子便会更多,因为较大的孩子较可能连接更多珠子。

3.1 在3小时的观察中,必须有部分时间可以拿到至少5件完整可供使用的小肌肉活动玩具,指标才可得分。

3.3 "普遍"是指80%的小肌肉活动材料。

5.1 "许多"是指5人的婴儿小组有不少于10件玩具,或5人的学步儿小组有不少于15件玩具。如小组人数超出此,则各年龄组别中每个超额儿童都应另有一件玩具。观察者应仔细检查材料,确定是否符合儿童的能力——具挑战性但不会令儿童感到挫折——若符合才可得分。"不同的"是指材料锻炼不同的技能(例如抓、摇、转、推、拉、戳、把东西放到一起、同时使用拇指和食指、涂鸦)。材料还要在颜色、尺寸、形状、质感、声音,以及玩法上有所不同。

由于此指标旨在给儿童许多小肌肉玩具,里面包含多种体验,一套材料(例如拼合积木或接连玩具)如分拆为组件较少的独立套装,每套分开装载,亦只能算作两套,虽然原来的大套可分拆成两套以上。每个小套装的功能必须维持玩具的原来目标,并且适合班上儿童的发展能力。

7.1 材料至少每月循环一次,才可得分。

7.2 至少要有两个不同难度的材料,才可得分。

问题:

7.1 你们还有没有其他和孩子一起使用的小肌肉活动材料? *如答"有",则问:可以让我看看吗?*

不足		最低标准		良好		优良
1	2	3	4	5	6	7

项目(16):动态体能游戏*

1.1 没有合适的户外或室内空间用来定期进行动态体能游戏。*

1.2 没有合适的器材/材料。*

1.3 器材/材料普遍失修。

3.1 一天中大部分时间都有开阔的室内空间用来进行动态体能游戏(例如:婴儿能自由地在地毯上活动,儿童可以四处爬行和走动)。*

3.2 全年都有一些开阔的空间让婴儿/学步儿至少每周3次用来进行户外体能游戏,假如天气许可。*

3.3 每天都可使用一些合适的材料和器材,材料/器材普遍保养良好。*

5.1 全年每天至少有1个小时可以使用易于到达的户外场地(假如天气许可),而且把婴儿/学步儿与年龄较大的儿童分开。*

5.2 大型的动态体能游戏场地不拥挤杂乱。*

5.3 提供大量动态体能游戏材料和器材,儿童不必长时间等待便可取用。

5.4 班里每个儿童,包括有学籍的残障儿童,都可以使用某些器材。

5.5 所有的空间和器材都适合儿童。*

7.1 户外场地有两种或以上的地面,可用来开展不同类型的游戏(例如:草地、户外地毯,橡胶地垫,木甲板)。*

7.2 户外场地有一些防御天气的设施(例如:夏天有遮荫,冬天有阳光、挡风墙,良好的排水系统)。*

7.3 每天使用的材料可以促进多种大肌肉技能的发展(例如:爬、走、平衡、攀爬、球类游戏)。*

* 注释：

项目(16)：动态体能游戏要求儿童运动,以便发展其大肌肉活动技能。让儿童坐在婴儿车里"游车河"、帮他们荡秋千,或让他们在沙池中玩耍,都不算是动态体能游戏。应允许不能自己行走的婴儿在其力所能及的范围内(例如在地毯或在其他安全的表面上)自由移动。应为会爬行或行走的儿童提供适合发展的机会,让他们练习大肌肉活动技能。在这项目中,"器材"和"材料"是可互换使用的。

1.1 如果既无室内空间,也无户外场地用于动态体能游戏,指标1.1便应评"是"。

1.1、1.2、3.3、5.5 为婴儿和学步儿提供的室内外空间和器材/材料必须是安全的。例如,防跌区的软垫必须足够;器材应能防止儿童从高处坠下;没有尖锐的边缘、碎片、突出物,或会卡住儿童的危险。

1.2、3.3、5.5 合适的材料和器材举例：

● 婴儿——户外用的垫子或毯子、幼小婴儿使用的婴儿健身器、小型手推玩具、球类、用以拉着站起来的牢固物、爬行坡道。

● 学步儿——无踏板的骑坐玩具、大型的有轮拖拉玩具、球类和豆袋、切合年纪的攀爬设备、滑梯、平衡木、翻筋斗用的地垫或地毯、"隧道"、大纸板箱。

3.1 根据2011年版 *Caring for Our Children*(第66页)的建议,任何儿童不应被困在座位或其他约束性设施之中超过15分钟,积极进食及接受喂食的合理时间除外。如果把儿童长时间(如15分钟或更长)关在一个极度限制动态体能运动的地方,此指标便不能得分。例如：如果把儿童长时间留在秋千或婴儿椅上,或因长时间参与集体活动以致他们不能选择使用体能游戏空间,评"否"。

3.2 除了天气非常恶劣的少数几天外,教师应带领穿着合适衣服的儿童到户外游戏。

5.1 目前参与课程的成人和儿童必须可以很容易便来到户外场地。场地应该同时方便发展正常的儿童以及有学籍的残障儿童。便利性的要求因注册儿童以及带班教师的能力而异。另外,除非年长儿童的出现会导致安全问题或影响合适的动态体能游戏开展,否则不把2岁儿童和学前儿童隔开也可得分。一天中至少8小时的课程必须有1小时让儿童使用户外的动态体能游戏空间。少于8小时的课程要求时间短些,具体时数请看第20页"量表术语解释"。

5.2 儿童使用的动态体能游戏空间如有2个或以上,则根据儿童经历的平均情况为指标评分。例如,如果室内游戏空间又小又挤,但使用次数却多于另一个整洁、宽敞的户外场地,则指标不能得分。但若情况相反,便可得分。

7.1 每天使用的户外场地至少要有1个是硬地的和1个是软地的。防跌区内的空间不算是软地游戏场地。

7.2 只需观察到1个防御天气的实例,但有关的防御设施必须配合当地最常见的恶劣天气。

7.3 "多种技能"要求儿童使用的器材明显有助促进7—9种不同技能。应同时考虑固定和可移动的器材。

问题：

1.1、3.1、3.2、5.1 你们班有没有室内和户外的动态体能游戏场地？ *如答"有"但你没有观察到,则问：* 可以让我参观一下这些场地吗？多久使用它们一次？ 每次使用多长时间？

不足		最低标准		良好		优良
1	2	3	4	5	6	7

项目(17):美术 *

1.1 没有合适的美术材料供儿童使用。*

1.2 美术活动使用有毒或不安全的材料(例如:剃须膏、金粉、不脱色记号笔、塑胶彩或油彩、可导致儿童窒息的东西如泡沫塑胶粒或小珠子)。*

3.1 至少每周一次为儿童提供一些美术材料。*
可评"不适用"

3.2 儿童使用的所有美术材料都是无毒、安全且合适的。*

3.3 不要求儿童必须参加;有其他活动可供儿童选择。*

5.1 年龄较小的学步儿每周有3次美术活动;年龄较大的学步儿每天都有美术活动。*
可评"不适用"

5.2 鼓励儿童自我表达(例如:根据儿童的能力预期成效,不要求儿童抄袭范例,不使用填色画册和工作纸)。*

5.3 教师帮助儿童恰当使用材料(例如:在涂鸦的地方贴好纸张,有需要时使用特别改装的设备,鼓励儿童用颜料在纸上画画而不是用来吃)。

7.1 当儿童条件成熟时给他们介绍各种材料(例如:给最小的儿童介绍蜡笔和水彩笔,给较大的学步儿或两岁儿童另外介绍颜料和橡皮泥)*。

7.2 根据幼儿的能力提供材料(例如:密切监督幼小儿童使用材料,给2岁的儿童提供例如大蜡笔或大粉笔之类的简单材料)。

项目 (17):如果所有儿童的年龄均小于 12 个月,这项目应评"不适
用"。但是,如果参加美术活动的是婴儿,则必须对项目作出评价,
只对个别指标 (3.1、5.1) 评为"不适用"。

　　蜡笔、粉笔或胶泥等美术材料可能附有"三岁以下儿童不宜使
用"的警告。这些材料除非标明"有毒",较小的儿童只在极严格的
监管下(老师伸手可及儿童,而且密切留意他们)才能使用。这些
材料不应让儿童自由取用。应采用较少可能构成安全问题的材
料,例如较粗而非幼细的蜡笔、记号笔的笔头套应避免让儿童拿到
手。不应采用有食物气味的美术材料。应为 12 个月及更年长的
儿童提供美术材料,但如果孩子只把材料送进口,对用它来创作美
术毫无兴趣,便应引导他参加别的较合适的活动。

1.1、3.1、5.1　如果蜡笔及其他绘画用品(例如铅笔、记号笔、粉笔)用
于空白的纸张或别的空白平面,此指标会把它们看作美术材料。
如果用于填色册页或其他预定的工作上,则不看作美术材料。当
用于填色册页时,项目 15"小肌肉活动" 会对它们作出考虑,但不
是为了评估它们能否满足"美术"项目的要求。

1.1、3.2　合适的美术材料举例:蜡笔、水彩笔、画笔和手指画颜料、胶
泥、不同质感的拼贴材料。年龄较小的学步儿应只用最简单的材
料。当儿童掌握恰当使用材料的技能和能力后,才可添加其他
材料。

　　所有材料必须是无毒且安全的。应只针对儿童使用的美术
材料进行评分。可食用的材料(如巧克力布丁、干的意大利面、爆
米花等等)不可用作美术材料。此外,散发食物气味的材料作为
美术材料也不能得分(包括有香味的橡皮泥、绒头笔、蜡笔等等),
因为它们带给孩子混乱的讯息。在美术活动中使用食物可能导

致的各种后果,包括在健康(卫生问题)、安全(如窒息危险)以及
督导方面的问题,当在评价项目 10、11 和 25 时予以考虑。

1.2　儿童如使用任何有毒或不安全的美术材料,即使绝大多数材料无
毒而且安全,也要评"是"。

3.1　"一些"指儿童可用的美术材料至少有 1 例(如:蜡笔和纸)。

3.3　如果儿童必须参与,但他们很快便投入活动,明显地乐在其中,那
么应评"是"。不要评"否",除非儿童不投入,不享受活动,又不能
离开和做别的事情。儿童必须可以选择参加 2 项其他活动而不
会招致教师的负面反应。

5.1　"年龄较小的学步儿"是指 12—23 个月的儿童;"年龄较大的学步
儿"是指 24—30 个月的儿童。

5.2　如要得分,儿童参加的所有美术活动都应鼓励自我表达。

7.1　如要得分,一周内必须有一段时间为"年龄较小的学步儿"提供至
少 3 种美术材料。"年龄较大的学步儿"每周可以用到的美术材
料必须超过 3 种,且每种材料都应有所变化。根据观察过程中看
到的可使用材料、陈列的儿童美术作品,以及教师的回答进行
评分。

问题:

1.2、3.2　儿童使用美术材料吗? *如答"是",则问:儿童使用什么材料?*
我可以看看这些材料吗? 有曾使用过可食性的材料吗?

3.1、5.1　儿童多久使用一次美术材料?

7.1　你如何选择给儿童使用的美术材料?

不足		最低标准		良好		优良
1	2	3	4	5	6	7

项目(18):音乐与律动

1.1 儿童没有音乐/律动的体验。*

1.2 一天中大部分时间播放大声的音乐,对正在进行的活动构成干扰(例如:不断的背景音乐令人很难用正常的声调谈话,音乐提高了噪音水平)。*

3.1 一天中大部分时间可取用一些音乐材料、玩具或乐器进行自由游戏(例如:拨浪鼓、编钟玩具、音乐盒、木琴、鼓)。*

3.2 教师每天至少带领一次音乐活动(例如:和儿童一起唱歌,午睡时播放轻柔的音乐,播放音乐来跳舞)。

3.3 不要求儿童参加集体音乐活动,另有活动可供选择。*

5.1 一天中大部分时间可取用许多悦耳的音乐玩具及/或乐器。*

5.2 教师每天和儿童非正式地唱歌/吟咏。*

5.3 除了唱歌之外,教师每天还提供其他音乐体验(例如:使用录音带或CD,为儿童弹奏吉他,午睡或跳舞时播放音乐)。

5.4 为了正面的原因,在限定的时间使用录音音乐(例如:午睡时播放安静的音乐,跳舞或唱歌时播放音乐)。*

7.1 循环使用各种音乐玩具或乐器,借以提供多元性。*

7.2 为儿童提供多种类型的音乐(例如:古典的和流行的,不同文化特征的音乐,用不同语言唱出的歌曲)。*

7.3 教师鼓励儿童一起跳舞、拍手或唱歌(例如:抱着婴儿随音乐跳舞,和学步儿一起随节奏拍手,和儿童一起参与)。*

*注释：

1.1 在音乐/律动活动中使用的材料举例：唱片/录音带/CD 的播放机；各种唱片、录音带、CD；音乐盒；音乐玩具和乐器；安全的自制乐器，例如把塑胶瓶装满沙子或鹅卵石，旋紧瓶盖，制成摇摇瓶。如果儿童一天没有至少一次音乐/律动的体验，评"是"。

1.2 如果在 3 小时的观察期间，大部分时间都在播放大声的音乐，评"是"。

3.1 "一些"表示至少可取用 2 件安全的音乐材料、玩具或乐器。

3.3 在集体音乐活动时，必须有超过一项别的活动供儿童选择参与，才可得分。如果儿童必须参与，但他们很快便投入活动，明显地乐在其中，那么应评"是"。不要评"否"，除非儿童不投入，不享受活动，又不能离开和做别的事情。

5.1 "许多"是指至少有 10 件音乐玩具，但以班里每个儿童都有不少于一件为原则，而且以班级的最高注册人数计算。不安全的音乐材料（如：边缘锐利，或有可拆出的小部件）不算在所需数目以内。任何有关安全的问题同时在评价项目 11"安全措施"时予以考虑。

5.2 指标所述的内容至少应观察到一次，才可得分。

5.4 如果作为背景声音的音乐播了很长时间（譬如 20 分钟），即使开始播放时有特定的目的，例如让儿童随音乐跳舞，指标仍然不能得分。

7.1 至少每月要更换两件音乐玩具或乐器，才可得分。

7.2 必须经常使用不少于三种类型的音乐，才可得分。并且，任何类型的音乐如要算数，都必须是适合儿童的，例如没有暴力或色情的成分。

7.3 至少要观察到一个实例，才可得分。

问题：

3.2、5.3 你和儿童在一起时使用音乐吗？ 如答"是"，则问：你是怎么使用的？ 多久使用一次？

7.1 你给儿童提供其他音乐玩具或乐器吗？ 可以让我看看吗？ 它们都是怎么用的？

7.2 提供给儿童的是什么类型的音乐？ 你能举些例子吗？

不足		最低标准		良好		优良
1	2	3	4	5	6	7

项目(19):积木 *

1.1 没有积木游戏的材料。*

3.1 每天可取用至少 1 套积木(6 块或以上同一种类的积木)。*

3.2 每天可取用一些积木的配套玩具。*

3.3 一天中大部分时间可取用积木和配套玩具。*

5.1 每天大部分时间可取用至少两套不同种类的积木(每套有 10 块或以上的积木)。*

5.2 积木和配套玩具按类别整理。

5.3 学步儿玩积木的区域不是通行过道,且表面平稳。

7.1 每天大部分时间可取用至少三套不同种类的积木(每套有 10 块或以上的积木)。*

7.2 多种不同的配套玩具,包括交通工具、人物、动物。*

7.3 教师和儿童玩简单的积木游戏。*

项目(19):如果所有儿童的年龄均小于 12 个月,此项目应评为"不适用"。为确保评分员之间的可靠性,积木大部分边缘的长度界定为最少 2 英寸(5 厘米)。虽然 *All About the ITERS-R* 的定义说积木的边缘必须圆滑,字母积木或边缘略为凸起的积木仍可接受为积木,只要它们符合大小的要求,而且不属拼合性质、容易叠砌。

1.1、3.1、3.2、5.1、7.1 积木游戏的材料举例:软质积木;各种大小、形状、颜色的轻盈积木;大的纸板积木;配套玩具如用来填满再倒空的容器、玩具卡车或汽车;玩具人物和动物。

注意,拼接玩具,如得宝积木(Duplo),在项目 15"小肌肉活动"中加以考虑,不包括在此项目内。

3.1、3.2、3.3、5.1、7.1 由于这项目"不适用"于儿童年龄全部小于 12 个月的组别,如果观察到混龄的小组,里面包括 12 个月以下及 12 个月以上的儿童,评分时不必考虑婴儿取用积木/配套玩具的情形,只需考虑学步儿的情况。

3.1、3.2 每天至少 8 小时的课程,必须包括 1 个小时的玩积木及配套玩具的时间。8 小时以下的课程要求的时间相应减少,具体时数请参看第 18 页"量表术语解释"。

3.1、5.1、7.1 一"套"积木是为了一起使用而设的一组积木。积木如属一"套",其组件必须属于同一类型。一套积木的组件可以在形状、大小和颜色上有所不同,但必须显然是为了成组使用而设计的。不同类型的积木不能合并当作一套。

3.2 "一些"是指至少有 5 件不同类型的配套玩具。如要得分,配套玩具必须放在积木附近。如果不是放在积木附近,则必须在积木时间看到它们是和积木一起使用的。

7.2 "多种"是指以下各类配套玩具每类至少有 5 件:交通工具、人物和动物,即至少共有 15 件。

7.3 指标所述的情形至少要看到一次,才可得分。

不足		最低标准		良好		优良
1	2	3	4	5	6	7

项目(20):角色游戏

1.1 没有角色游戏的材料。*

3.1 有一些切合年龄的角色游戏材料,包括玩偶和软质玩具动物。*

3.2 一天大部分时间可以使用角色游戏材料。

5.1 每天可使用许多各式切合年龄的角色游戏材料。*

5.2 道具表现儿童每天的生活体验(例如:家庭日常生活、工作、交通工具)。

5.3 材料分类整理(例如:餐具放在单独的盒子里,玩偶放在一起,装扮用的帽子和钱袋挂在挂钩上)。

5.4 为学步儿提供儿童尺寸的玩具家具(例如:小洗手盆或火炉、婴儿车、购物车)。
可评"不适用"

7.1 提供表现多元性的道具(例如:表现不同种族/文化的玩偶,不同文化的人物或残障人士使用的器具)。*

7.2 提供道具让学步儿在户外或其他开阔的地方进行角色游戏。
可评"不适用"

7.3 教师和儿童一起玩假装游戏(例如:和儿童用玩具电话谈话,轻轻摇晃洋娃娃并和它说话)。*

* 注释:

1.1、3.1、5.1　角色游戏的材料举例:

- 婴儿——玩偶、软质玩具动物、玩具厨房用品、玩具电话。
- 学步儿——打扮用的服装;儿童尺寸的家具;玩具烹饪/用餐器具,如锅盘碗碟汤匙;玩具食物;玩偶;娃娃家具;软质玩具动物;玩具房子和配件;玩具电话。

3.1　儿童必须有至少 2 个玩偶和至少 2 个软质玩具动物,指标才可得分。

5.1　对婴儿来说,"许多"要求有 3—5 件举例清单中的材料。对学步儿来说,"许多"要求举例清单中的玩具每种有两件或以上。若不少过两件玩具,可以接受,但其他种类的玩具必须多提供一些。

7.1　如要得分,必须有表现至少 3 个不同种族的玩偶,以及至少 2 种其他显示多元性的材料,所有道具并须予人正面的印象。

7.3　在观察过程中至少要看到一次指标所述的情形,才可给分。

不足		最低标准		良好		优良
1	2	3	4	5	6	7

项目(21):玩沙和玩水 *

1.1 18个月及更大的儿童没有玩沙或玩水活动。

3.1 至少每两周有1次户外或室内的玩沙或玩水活动。

3.2 密切监督儿童的玩沙或玩水活动。*

3.3 提供一些玩沙/玩水的玩具。*

5.1 至少每周有一次玩沙或玩水活动。

5.2 为玩沙/玩水活动提供多种玩具。*

5.3 沙/水活动的设计方便游戏开展(例如:有足够多的沙/水供游戏之用,使用玩具不致太拥挤,提供的空间足够参与的人数使用)。

7.1 每天进行玩沙或玩水的活动。

7.2 用沙子或水开展不同的活动(例如:在不同的日子用水洗玩偶、漂浮玩具,玩倒水)。*

* 注释：

项目(21)：所有受照顾的儿童如果年龄均小于 18 个月，这项目应评"不适用"。让 18 个月以下儿童使用沙或水在健康、安全及指导等方面的后果于项目 10、11 和 25 中作出考虑。

除沙子外，其他细颗粒的，例如：已消毒的泥土或细碎的稻草/木屑也可用来做挖掘和倾倒活动的材料，例如干豆、小鹅卵石、泡沫塑胶片、玉米粉，以及面粉等，极可能对这个年龄儿童构成危险，则不能作为沙子的替代物。

可利用例如胶管、洒水器、浅盆或水盘等器材为儿童提供玩水活动。

沙和水的游戏要求教师提供合适的材料。让儿童在水坑里玩水，或在操场上挖泥土，都不符合这项目的要求。

3.2 如果发现有儿童喝游戏用的水、吃沙子、扬沙子或泼水，以致伤及或危及他人，或者有儿童在玩沙/玩水区滑溜的地上摔倒，评"否"。如果没有看到玩沙或玩水活动，则根据观察到的其他活动的监督情况，以及访谈时教师的回答进行评分。

3.3 "一些"是指在沙/水活动中儿童至少有 2 件玩具可玩。

3.3、5.2 沙/水活动的玩具举例：厨房用具、铲和桶、小汽车和小卡车、漂浮玩具、塑胶容器。

7.2 如果教师报告说至少每周有一次玩沙或玩水的不同活动，指标可得分。

问题：

1.1、3.1、5.1、7.1 儿童玩沙或水吗？ 如答"是"，则问：多久玩一次？

3.3、5.2 玩沙和玩水时使用其他玩具吗？你能描述一下这些玩具或让我看看吗？

7.2 除了我今天看到的，还有其他玩沙或玩水的活动或材料吗？ 可以说说这些活动或材料吗？

不足		最低标准		良好		优良
1	2	3	4	5	6	7

项目(22):自然/科学

1.1 没有写实地表现自然的图片、图书或玩具(例如:只有表现为卡通或幻想人物的动物)。

1.2 儿童没有机会体验大自然(例如:没有接触过树、草或鸟;活动室里没有活的植物或宠物;没有贝壳或其他自然物)。

3.1 有一些写实地表现自然的图片、图书或玩具,全都适合儿童的发展(例如:清晰展示真实动物但不令人恐惧的海报;逼真的玩具动物)。*

3.2 每天可以取用这些材料。*

3.3 每天都有一些机会体验大自然,无论是在室内还是户外。*

5.1 每周至少有两次户外体验自然的活动(例如:把婴儿放在铺了毯子的草地上;学步儿在庭院或公园里探索花草树木;儿童乘坐手推车出外,教师沿途给他们指出自然物)。*

5.2 每天有一些在室内接触活的植物或动物的体验(例如:活动室内有植物可供观赏;教师在窗边指出树、花或雀鸟;儿童观赏水族箱)。

5.3 把日常事件作为学习自然/科学的基础(例如:谈论天气;指认昆虫或雀鸟;吹泡泡;看下雨或下雪)。*

7.1 教师对大自然表现出兴趣和尊重(例如:关心宠物;帮助儿童仔细地处理自然物;在不同天气的日子里带儿童到户外去)。

7.2 自然/科学的材料摆放有序且保养良好(例如:收藏品存放在不同的盒子里;动物的笼子保持清洁)。

*注释:

3.1 "一些"是指至少有两件自然/科学的图片、图书或玩具。

3.2 每天 8 小时或以上的课程,必须有一小时让儿童取用自然/科学材料。8 小时以下的课程要求的时间少一些。较短课程要求的具体时数请看第 18 页"量表术语解释"。可以取用的意思是,儿童可自行拿取和使用书籍和玩具,容易地看到图片。

3.3 指标的用意是要提供机会让儿童接触自然。这可以是带儿童到户外观察或体验自然物,如树木、花草和雀鸟;也可以是在室内提供体验自然的机会,例如借着活的植物、水族箱、活动室内的宠物,以至在窗边观察雀鸟喂饲器。"一些"是指每天有超过一次机会。

5.1 指标如要得分,儿童的户外体验必须包括活的植物及/或动物。

5.3 至少须观察到一个实例,指标才可得分。

问题:

5.1 儿童多久到户外活动一次? 你能否描述一下儿童在户外获得的自然体验吗?

不足		最低标准		良好		优良
1	2	3	4	5	6	7

项目(23):电视、录影及/或电脑的使用*

1.1 所用材料不适合儿童的发展(例如:含有暴力或色情的内容、恐怖的人物或故事,难度过高)。*

1.2 在使用电视/录影/电脑时,没有提供别的活动以供选择(例如:所有儿童必须同时观看录影)。

1.3 为24个月以下的儿童使用电视、录影/或电脑。*
可评"不适用"

3.1 所有使用的材料均适合儿童的发展,没有暴力而且具有文化敏感度。

3.2 使用电视/录影/电脑时,至少有一项其他活动供儿童选择(例如:儿童不必坐在电视前,可以参加其他活动)。

3.3 超过24个月的儿童使用电视/录影或电脑有时间限制。*

5.1 只使用"有益儿童"的材料(例如:简单的故事、音乐和舞蹈;非常简单的电脑游戏,而非大部分都是卡通)。

5.2 使用电视/录影/电脑时,有很多其他活动可供自由选择。*

5.3 教师积极参与电视、录影或电脑的活动(例如:与儿童一起观看和讨论录影,开展教育电视所建议的活动,帮助儿童适当使用电脑)。

7.1 大多数材料鼓励儿童积极参与(例如:儿童可跟着录影跳舞、唱歌或运动,电脑软件引起儿童的兴趣)。

7.2 材料用于支持和拓展儿童现有的兴趣和经验(例如:在下雪天播放雪人的录影,录影内容表现儿童每天的经历)。

*注释：

项目(23)：由于婴儿和学步儿基本上通过手建立的经验及与真实世界
的互动来学习,因此电视、录影和电脑的使用并非必需。如果机构
不使用电视、录影和电脑,可评"不适用"。如果在评估时没有观察
到这些设备,需询问它们的使用情形,因为它们通常是多个班级共
用的,因此观察期间可能会看不到。

由于新的视听媒体产品不断发展,因此应考虑儿童使用的所
有视听材料或设施,即使这里没有列出它们的名称。例如,在评分
时需考虑 DVD 材料和电子游戏。电台广播节目的使用也应在考
虑之列。

1.1　如曾经使用任何不适宜的材料,包括含有暴力、恐怖或色情成分
的内容,评"是"。

1.3、3.3　美国儿科学院(American Academy of Pediatrics)指出,两岁以
下儿童不应观看电视,具说服力的研究显示看电视会为这些最年
幼的儿童带来负面影响。两岁及以上的儿童观看媒体播映的时
间每周应只限一次,合共不超过 30 分钟。使用电脑则每天一次,
只限 15 分钟。正餐/点心环节应禁绝媒体播映。

5.2　在使用电视或电脑时,必须有三项或更多的其他活动供儿童
选择。

问题：

1.1、3.1、5.1、7.1　儿童使用电视、录影、电脑或其他视听材料吗? *如
答"是",则问*:这些视听材料是如何使用的? 你怎样选择这些视
听材料?

1.2　在使用电视或录影时,儿童可不可以选择参加其他活动?

3.3　儿童多久使用一次电视、录影或电脑? 每次使用多少时间?

5.3　当儿童在观看电视或使用电脑时,你如何进行指导?

7.1　这些视听材料有没有使儿童积极参与? 请举一些例子。

7.2　你使用有关教学主题或儿童感兴趣的其他事物的电视、录影和电
脑材料吗? 请说明。

不足		最低标准		良好		优良
1	2	3	4	5	6	7

项目(24):促进接受多元性 *

1.1 材料没有体现种族或文化的多元性。*

1.2 多元性的材料只展现负面的典型(例如:负面地呈现种族、文化、年龄、能力或性别)。

1.3 教师显示对他人有偏见(例如:对来自其他不同种族或文化背景的儿童或成人有偏见,歧视残障人士)。

3.1 材料中至少看到3个体现种族或文化多元性的例子(例如:多个种族或文化的玩偶、图书、图片,来自几个文化的音乐录音带或CD,双语区提供儿童母语的材料)。*

3.2 材料以正面的方式显示多元性。

3.3 教师没有偏见,或者采取适当的干预以消解儿童或其他成人的偏见(例如:解释同异之处,制定公平对待他人的规则)。

5.1 有许多表现多元性的图书、图片和材料(例如:不同种族、文化、年龄、能力和性别的人担当着非定型的角色)。*

5.2 提供代表至少3个种族的玩偶(例如:玩偶的肤色或面部特征)。*

7.1 儿童用到的图片或图书中没有性别歧视的画面(例如:男人和女人、男孩和女孩都在工作或游戏中担任类似的角色)。

7.2 多种活动显示文化意识(例如:不同类型的音乐,庆祝不同的节日和风俗,供应民族食品)。*

＊注释：

项目(24)：在评价材料的多元性时,须考虑儿童使用的所有区域和材
料,包括陈列的图片和照片、图书、拼图、游戏、玩偶、积木的配套人
形玩具、木偶、音乐录音带或 CD、电脑软件、录影。

1.1　在儿童常用的活动室里,如果在孩子能轻易看到的地方观察到显
示种族或文化多元性的材料至少有 2 例,评"否"。1 张表现多种
族儿童的海报算作 1 例;两个不同种族的玩具娃娃也算作 1 例。

3.1、5.1　如果难以找到或观察到多元性的材料,则指标 3.1 和 5.1 都
不给分。

5.1　要得分,观察员必须找到总共 10 个不同的实例,有些是图书,有
些是图片,有些是其他材料(但指标 5.2 中的玩偶不包括在内)。
所有实例必须是儿童容易体验到的。这 10 个实例必须包含 5 种
多元性中的至少 4 种(种族、文化、年龄、能力和性别)。
　　"儿童陈列品"项目的指标 7.1 肯定班上儿童及其家人的照
片。但作为"表现多元性的图片",这些照片在本项目便不能获得
肯定,即使班级合照中的儿童及家人在种族、文化、能力和性别方
面都显示多元性。这个指标如要得分,教师特意选出的一些清楚
显示多元性的图片必须陈列在儿童大部分时间使用的空间,让他
们容易看见。

5.1、5.2　娃娃屋或积木游戏的配套小玩偶,在这两个指标中都算是玩
偶。木偶算是材料,不是玩偶。

7.2　必须观察到整个活动室内供儿童取用的材料反映着多元文化;若
没有观察到,则教师在访谈中必须举出最少一个常规活动或特别
活动的例子,足以反映文化多元性的意识,指标才可得分。

问题：

7.2　有没有旨在促进儿童意识多元化发展的活动? *如答"有",则问:
可以举些例子吗?*

互动

不足		最低标准		良好		优良
1	2	3	4	5	6	7

项目(25):游戏与学习的管理*

1.1 保障儿童安全的管理不够(例如:教师经常离开儿童,而且无法看到、听到或接触到他们;儿童身处险境而无人照顾)。*

3.1 儿童都在教师可以看到、听到和接触到的范围内,只有偶尔的短暂管理失误(例如:教师赶往教室取橱柜里的材料,教师在负责监管操场上的儿童时站在楼房门口给楼内的人打电话)。*

3.2 教师关注的是照顾儿童的责任,而非其他工作或兴趣。

5.1 即使与1名儿童或1个小组的儿童在一起时,教师仍能留意全体儿童。

5.2 教师以安抚及支援的方式,反应快速地解决问题。

5.3 教师和儿童一同游戏,且对儿童所做的事情表示兴趣或赞赏。*

5.4 有需要时,教师给予儿童帮助和鼓励(例如:帮助闲荡的儿童加入游戏,帮婴儿拿架子上的玩具)。

7.1 教师留心观察,而且通常采取行动防止发生问题(例如:准备双份玩具,在动态游戏干扰到安静游戏之前把它移到别处)。

7.2 个别化的看管(例如:对需求较多的儿童看管得较密切,移动婴儿以免他感到烦闷)。

7.3 教师改变指导方式配合活动的不同需要(例如:密切监督美术活动或小件材料的使用)。

*注释：

项目(25)：这项目考虑室内和户外两方面的管理。对管理多个班级同
　　　　时在户外进行活动作出评价时,需考虑:所有监督大肌肉活动的教
　　　　师;在年龄能力方面与你所观察的班级相近的所有儿童;教师和儿
　　　　童的人数;成人对最危险的区域/活动有没有充分的监管。由于涉
　　　　及个人的项目已经处理各种个人日常照料工作的管理,因此这里
　　　　不予考虑(详见项目 7"正餐/点心"、项目 8"午睡"及项目 9"换尿
　　　　片/如厕")。

1.1、3.1　"短暂失误"是指教师身在儿童使用的空间,但却无法看到、
　　　　听到或接触到儿童;又或疏忽照顾儿童至少一分钟。在危险性很
　　　　高的情况下,短暂失误是不能容许的。如果只是偶尔发生短暂的
　　　　管理失误,指标 1.1 不给分。但是,如果出现多次短暂失误,其中
　　　　一次非常危险;或者有一次为时超过 1 分钟,而教师又身在难以
　　　　看到、听到和接触到儿童的地方,则指标 1.1 应评"是"。

3.1　"偶尔"是指在 3 小时的观察期间短暂失误不超过 5 次。但是,在
　　　危险性很高的情况下,即使一次短暂失误也是不能接受的。例如
　　　当儿童正在换尿片的操作台上、使用攀爬器材或参与玩水活动的
　　　时候。

5.3　在观察过程中必须清楚看到教师花了很多时间和儿童玩游戏,并
　　　表现出对儿童的游戏很感兴趣也很欣赏。如果教师的大部分时
　　　间都花在儿童的日常照料上,即使在观察过程中看到教师有一些
　　　时间和儿童游戏,这指标也不能得分。

不足		最低标准		良好		优良
1	2	3	4	5	6	7

项目(26):同伴互动

1.1 极少或没有可能进行适当的同伴互动(例如:儿童在醒着的时候被分开安置在婴儿床、秋千或高脚椅上,学步儿挤在只有很少玩具的小空间里)。

1.2 忽略负面的同伴互动,或对之严厉处理。*

3.1 一天大多数时间都有可能进行同伴互动(例如:在看管下让不会行走的婴儿在彼此靠近的地方玩耍,让学步儿自然地形成小组)。

3.2 教师经常阻止负面的同伴互动(例如:阻止打架、咬人、抢夺玩具)。*

5.1 教师促进儿童之间的同伴正向互动(例如:把婴儿安置在他们能彼此观望或回应的地方,帮助学步儿找到相同的玩具,把残障儿童纳入其他儿童的游戏中)。

5.2 教师示范正面的社交互动(例如:温情和关爱;轻柔的触摸;对儿童有礼,不"专横")。*

7.1 教师向儿童解释其他儿童的行为、用意和感受(例如:帮助儿童辨认难过或高兴的面部表情,解释另一个儿童不是有意伤害他人,称赞能自己找到相同玩具的儿童)。*

7.2 教师指出并讨论儿童之间或成人与儿童之间正面互动的例子(例如:让儿童注意安慰的行为,对注意到其他孩子的婴儿微笑和说话,称赞一起把椅子搬到桌子旁的两岁儿童)。*

1.2　如果没有观察到负面的同伴互动,评"否"。

3.2　这指标如要得分,教师必须阻止至少75%轻微负面的同伴互动,
　　　以及所有会引致儿童受伤的严重问题。此外,教师的干预绝对不
　　　能粗鲁。如果没有观察到负面的同伴互动,评"否"。

5.2　没有观察到教师与儿童或其他成人相处时显示负面的社交技巧,
　　　指标才可得分。

7.1　必须在观察的最初3小时内观察到至少两个实例,指标才可
　　　得分。

7.2　必须在观察的最初3小时内观察到至少1个实例,指标才可
　　　得分。

不足		最低标准		良好		优良
1	2	3	4	5	6	7

项目(27):师生互动 *

1.1 互动是非个人化或负面的(例如:教师很少回应儿童,对他们微笑、说话,或聆听他们)。

1.2 对儿童的正面关注不平衡(例如:教师关注喜爱的孩子远远超过其他孩子)。

1.3 身体接触不亲切、缺乏反应,或者是粗鲁的。

3.1 一天里,教师偶尔对儿童微笑、说话和表示关爱。*

3.2 教师通常能富同情心地回应并帮助受伤、生气或不开心的儿童。*

3.3 师生互动中没有严厉的言语或粗鲁的肢体接触。

3.4 在一天的日常照料或游戏中,教师通过一些亲切及回应的动作表示关爱(例如:在给儿童读故事书时温柔地抱着儿童,用奶瓶喂奶时把孩子抱在怀中)。

5.1 整天有频繁的正面师生互动(例如:教师带领语言和体能游戏,回应儿童发起的互动,在儿童的活动中表现得很高兴)。*

5.2 教师和儿童通常表现轻松、声音愉悦、常常微笑。*

5.3 一天里有很多拥抱、轻轻拍背,和温馨的肢体接触。*

7.1 互动是出于回应每个儿童的情绪和需要(例如:抚慰疲倦的儿童,对爱玩的儿童表现得较活跃,对受惊的儿童加以安慰)。

7.2 教师通常对儿童的感受和反应很敏感(例如:避免突然地介入,先告知儿童然后再抱起他/她)。*

78

项目(27)：尽管本项目中的品质指标普遍适用于各种文化或个体，但
　　　　表现这些品质的方式可能有所不同。例如，在某些文化中，直接的
　　　　目光对视是尊敬的标志，而在其他文化却表示不尊敬。同样，有些
　　　　人可能比其他人更习惯微笑和流露感情。然而，指标要求教师必
　　　　须做到，虽然达标的方法可能有些差异。

3.1　如要得分，指标中要求的互动不必频繁发生，但必须在日常照料
　　　和游戏中经常发生，并且所有儿童都应是互动的受方。

3.2　"富同情心地回应"是指教师注意到并且确认儿童的感受，即使儿
　　　童所表现的情绪是通常被认为不可接受的，如生气或不耐烦。尽
　　　管不恰当的行为如打人或扔东西不可容许，但儿童的情绪应当获
　　　得接纳。在大多数但非所有情况下，教师应给予儿童富有同情心
　　　的回应。如果儿童能够自己快速地解决一些小问题，教师就不需
　　　要作出回应。观察员要对教师的回应取得一个整体的印象。如
　　　果小问题持续不断，而且受到忽视，或如果教师以负面的方式回
　　　应儿童，则此指标不能得分。

5.1　如要得分，指标中要求的互动必须在日常照料和游戏中经常发
　　　生，并让所有儿童都是互动的受方。

5.2　"通常"是指对每一个儿童和每一位教师而言的大多数时间。在
　　　观察过程中，无论是在日常照料还是游戏时，教师的整体语调都
　　　应是愉悦的。任何烦躁或不开心都应赶快缓解。

5.3　温馨的肢体接触必须恰当，才可得分。意思是接触应该对孩子来
　　　说是愉悦的，不具侵扰性，或不会引起任何问题。

7.2　指标中的"通常"是对每一个儿童来说的大多数时间。评分时须
　　　兼顾师生之间的言语及非言语沟通。

不足		最低标准		良好		优良
1	2	3	4	5	6	7

项目(28):纪律

1.1 纪律不是太严厉(儿童经常受罚或受约束)就是太松散(几乎没有秩序或失控)。

1.2 用严厉的措施控制儿童的秩序(如打屁股、呼喝、长时间限制活动,或不许进食)。

3.1 教师从不采取体罚或严厉的纪律。

3.2 教师对秩序通常保持足够的控制,防止问题发生(例如:儿童使彼此受伤或危及自己,变得具破坏性)。

3.3 考虑儿童的年龄和能力,对他们作出切合实际的期望(例如:尽管可能与儿童谈过分享,但不强迫儿童做到;不期望儿童能长时间等待)。

5.1 课程的设计避免冲突,促进恰当的互动(例如:提供多件相同的玩具,防止儿童在玩受欢迎的玩具时被他人骚扰,儿童不拥挤,教师快速处理问题,活动衔接顺畅)。

5.2 有效采用正面的纪律措施(例如:把处于负面情境中的幼儿引导到其他活动;极少作出"中止活动"的处分,且从不施加于两岁以下的儿童)。

5.3 教师经常关注儿童的良好表现(例如:当儿童在进行游戏、喂食等之类的活动时,教师会看着他们,对他们微笑,或参与其中)。*

7.1 教师帮助儿童理解儿童自己的行为对他人造成的影响(例如:让儿童看另一个儿童哭泣的脸,当一个儿童的积木被推倒时向推积木的儿童解释为什么对方会生气)。*

7.2 教师帮助儿童学习以沟通而非攻击来解决问题(例如:教不会说话的儿童一些词语,鼓励会说话的儿童使用语言)。*

7.3 教师向其他专业人士请教行为问题的意见。

不足		最低标准		良好		优良
1	2	3	4	5	6	7

5.4 教师对儿童的行为反应
一致。

* 注释：

5.3 "关注"是指对儿童所做的事情表现出乐趣或兴趣。赞扬儿童良
好的行为不计算在"关注"的评分内。

7.1 在 3 小时的过程中，必须观察到至少 1 个向儿童解释行为影响他
人的实例，证明这是恒常纪律措施的一部分，指标才可得分。如
果没有观察到儿童行为的负面影响，则教师对儿童解释正面影响
也可得分。

7.2 至少要观察到 1 个实例，显示教师帮助儿童学习以沟通而非攻击
来解决问题，指标才可得分。如果没有观察到攻击行为，则教师
帮助儿童在其他人际互动中使用非语言或语言沟通技巧，也可
得分。

问题：

1.1 你遇到过你认为必须执行纪律的情形吗？请描述你使用的方法。

7.3 如果有儿童的行为问题非常难处理，你会怎么做？你向他人寻求
过帮助吗？如答"有"，则问：你能举例说说你会问哪些人吗？

课程结构

项目(29):日常程序 *

1.1 日常程序要不是太僵化,无法满足许多儿童的需要,就是太松散(混乱),以致日常活动程序缺乏遵从的依据。*

1.2 儿童的日常需要无法满足(例如:哭闹的儿童、紧迫的用餐时间、延迟换尿片)。*

1.3 教师没有时间指导儿童游戏(例如:所有的时间都用于常规工作)。

3.1 日常程序能满足大多数儿童的需要。

3.2 教师安排游戏活动作为每天日常程序的一部分。*

5.1 基本常规工作的时间安排灵活且个别化,能满足每一个儿童的需要(例如:婴儿有个别的作息时间表,疲倦的学步儿可以提前午睡)。*

5.2 日程表的室内和户外活动安排均衡。*

5.3 多样化的动态及静态游戏,满足儿童的需要。

5.4 日常活动转接时无需久候。*

7.1 教师调整一天里的游戏活动以满足儿童不断变化的需要(例如:儿童失去兴趣便改变活动,儿童感兴趣时便延长游戏时间)。

7.2 大多数日常活动的衔接都是畅顺的(例如:在下一项活动开始前已准备好有关的游戏材料;儿童洗完手可以马上吃东西;活动的转接逐步进行,每次只涉及几个儿童)。

*注释：

项目(29)："日常程序"是指儿童日常活动的序列安排。评分以观察到
　　　　的实际活动次序为准,而非根据张贴出来的日程表作判断。

1.1　"日常活动"指的是室内和户外游戏活动的时间以及常规工作,如
　　　吃饭/吃点心、午睡/休息、换尿片/上厕所及入园/离园等。

1.2　如果照料所有儿童的日常需要(喂食、午睡或换尿片/上厕所)之
　　　中有任何一项75%的时间没有做到,或者有任何一个儿童的大
　　　部分日常需要一直被忽略,即表示指标所说属实(评"是")。

3.2　如要得分,儿童经历的日常程序必须在一天大多数时间为所有儿
　　　童提供积极参与游戏的机会。要求儿童按小组听老师说话或看
　　　电视,以及在复印的工作纸上填色之类的非游戏活动,不能给分。
　　　日常照料的活动,即使充满游戏趣味,也不给分。

5.1　如果常规活动的时间安排给儿童造成困扰或不安,则指标不能
　　　得分。

5.2　均衡与否视乎儿童的年龄、需要、情绪以及天气而定。如果天气
　　　许可,所有儿童每天都应参加一些户外活动。户外时间可包括静
　　　态和动态的活动体验。

5.4　如果儿童须等待超过3分钟而无所事事,或者等待导致明显的烦
　　　躁或问题,评"否"。

问题：

5.1　如果一个学步儿在午睡时间前倦了或在午餐时间前饿了,你会做
　　　什么？午睡或正餐的时间有没有弹性？如答"有",则问:具体是
　　　如何安排的？

不足		最低标准		良好		优良
1	2	3	4	5	6	7

项目(30)：自由游戏 *

1.1 要不是很少有自由游戏的机会，就是一天大部分时间都花在无人监管的自由游戏上。

1.2 供儿童在自由游戏中使用的玩具、材料和设备不足(例如：玩具很少或玩具一般保养不佳)。

3.1 每天在室内及户外(假如天气许可)进行自由游戏。*

3.2 为保障儿童的安全和促进游戏的开展，教师作出一些监管。*

3.3 可取用足够的玩具、材料和器材进行自由游戏。

5.1 一天大部分时间在室内和户外(假如天气许可)开展自由游戏。*

5.2 一天里教师积极促进儿童的游戏(例如：帮助儿童拿他们需要的材料，帮助儿童使用他们难以操作的材料)。

5.3 在自由游戏时提供丰富多样的玩具和材料，以及许多设备。

7.1 把监管用作教育性互动的时机(例如：教师将儿童的行动加上语言描述，指出玩具有趣的特征)。*

7.2 教师在自由游戏中增添材料以激发儿童的兴趣(例如：拿出当天没有用过的玩具，循环使用材料，和儿童一起开展新活动)。*

* 注释：

项目(30)："自由游戏"是指允许儿童选择材料和玩伴,并且尽可能让他
　　　　们独立开展游戏。成人的互动仅限于回应儿童的需要。必须为无
　　　　法自己行走的儿童提供材料供他们自由选择,并且帮助他们移到
　　　　可以取用材料的地方。

3.1　一天至少 8 小时的课程必须有 1 小时的自由游戏时间。8 小时
　　　以下的课程所要求的时间减少,其要求的具体时数见第 18 页"量
　　　表术语解释"。

3.1、5.1　"假如天气许可"的定义见第 20 页"量表术语解释"。

3.2　如监管极度松懈,项目才可评"否"。

7.1　在观察过程中,至少要观察到两个实例。

7.2　教师至少要每月一次在自由游戏中增添新材料或新体验,指标才
　　　能得分。

问题：

7.2　你有没有其他游戏材料供儿童使用？ 如答"有",则问：你多久更
　　　换一次教室里的材料？

不足		最低标准		良好		优良
1	2	3	4	5	6	7

项目(31):集体游戏活动 *

1.1 儿童即使没有兴趣,也必须常常参加教师带领的活动(例如:所有儿童在同一时间制作美术作品,强迫儿童在故事组里坐着)。*

1.2 开展的集体活动通常不适合儿童(例如:内容太深,儿童不感兴趣,活动时间太长)。

1.3 当儿童参与集体活动的表现不好时,教师往往作出负面的行为(例如:生气,中止儿童的活动)。*

3.1 从不强迫儿童参加集体游戏活动(例如:如果儿童希望离队做其他事情,可以得到准许)。

3.2 集体活动通常是合适的。

3.3 在集体活动时间中,教师通常表现正面及接纳儿童。*

5.1 当儿童加入或离开集体活动时,教师灵活地调整活动(例如:所有想参加活动的儿童都有足够的材料,为新加入游戏的儿童辟出更多空间,当儿童失去兴趣时便停止活动)。

5.2 小组的人数切合儿童的年龄和能力(例如:婴儿每组2—3人,学步儿每组2—5人,两岁儿童每组4—6人)。*

5.3 不参加集体活动的儿童有其他活动可供选择。*

7.1 集体活动的设计使儿童获得最大的得著(例如:有足够的空间,使儿童不致感觉拥挤;鼓励儿童积极参与;书本很大,全体儿童都能看见)。

7.2 教师满足每个儿童的需要,从而鼓励他们参与(例如:教师把注意力不集中的儿童抱坐在自己膝上,为听力有困难的儿童打手势)。

项目(31): 这项目所指的是游戏和学习活动,而非日常的照料。如果从来没有集体游戏活动,评"不适用"。如果没有观察到集体游戏活动,但有证据显示儿童参与这种活动(例如,在张贴出来的日程表里列出了围圈时间、教案里有集体活动),则根据教师访谈中提问所得的资料进行评分。集体游戏活动由教师带领而且预期儿童参与。这项目不适用于一些由儿童随意集合,并通常在自由游戏时段里发生的小组活动。儿童参加这些小组,因为他们有兴趣在相同的时间作相同的活动。这类不太正式的小组活动例子,包括一些儿童和一名教师一起看书,或几个儿童在一位教师的看管下彼此相距很近和单独地玩积木。

1.1 "必须常常参加"意思是尽管儿童表现出想要离开集体、感到厌烦或受挫、对其他事物感兴趣,或觉得不高兴,但教师仍例行公事地迫使他们或极力鼓励他们参加集体活动。如果观察到这样的情形,或有证据(例如张贴的日程表或教师的报告)显示每天或几乎每天都有这样的活动,评"是"。如果观察到所有儿童均有兴趣地、投入地,及显然充满乐趣地参加一项集体活动,评"否"。

1.3 如观察到有任何教师对任何不想参加集体游戏活动的儿童或在集体游戏活动中没有听从指示的儿童作出负面的反应,评"是"。

3.3 "表现正面及接纳儿童"的行为必须占75%的时间,其余与儿童的互动须为中性。

5.2 建议的小组人数见指标中的举例。但有效的小组规模取决于小组儿童的特性及参与活动的性质。如果因为小组的规模导致儿童感到烦闷、不高兴,或失去兴趣,结果不能投入,评"否"。如果因为小组的规模明显与活动的类型及每个儿童的需要匹配,所以所有儿童都充满兴趣且愉快地参加活动,评"是"。

5.3 至少须有两个有趣的游戏让不参加集体游戏活动的儿童选择,指标才可得分。

问题:

如有集体活动但未能观察到,则问:你有开展过期望所有儿童都参加的集体活动吗? 如答"有",则问:这些活动是如何处理的? 如果有儿童不感兴趣或想走开,你会怎么做? 现在进行的是哪类活动? 会持续多长时间?

不足		最低标准		良好		优良
1	2	3	4	5	6	7

项目(32):残障儿童支援 *

1.1 没有尝试对儿童的需要进行评估或搜寻现成的评估材料。

1.2 没有尝试满足儿童的特殊需要(例如:没有在教师互动、现实环境、课程活动、日常程序等方面作出必要的调整)。

1.3 家长没有参与协助教师认识儿童的需要或为儿童设定目标。

1.4 残障儿童很少与班上其他儿童在一起(例如:儿童不同桌吃饭,残障儿童闲荡而不参与活动)。

3.1 教师从现成可用的评估材料中获得资讯。

3.2 为满足残障儿童的需要作出轻微的调整。*

3.3 家长和教师在制定目标上有一些参与(例如:家长和教师参加"个别家庭服务计划(IFSP)")。

3.4 残障儿童于进行中的活动有一些参与,跟其他儿童在一起。

5.1 教师彻底跟进其他专业人士(例如:医生、治疗师、教育家)建议的活动和互动,帮助儿童达致确定的目标。

5.2 环境、课程和日常程序均进行了调整,使残障儿童能够和其他儿童一起参与许多活动。

5.3 家长经常与教师分享资讯,参与制定目标和对课程的运作提出意见。*

7.1 大多数的专业性介入是在课堂的常规活动中进行的。*

7.2 残障儿童与全班融合,参加大多数活动。

7.3 教师参与个体评估和制定介入方案。

88

*注释：

项目(32)：如参与课程的儿童中包括已经鉴定的残障者,此项目才应
　　　　使用,否则评"不适用"。

3.2　"轻微的调整"使儿童能够参与课程。它们可以包括一些小规模
　　　的改变,例如在环境(如斜坡)、日常程序或活动方面。也可以是
　　　加插治疗师定期到访,为儿童服务。

5.3　指标如要得分,须每日(或几乎每日)有非正式沟通,并且每年至
　　　少召开两次正式会议。

7.1　如建议的介入由专家或班级教师在常规的课堂活动中执行,可
　　　得分。

问题：

可否请你描述一下,你如何尝试去满足班上残障儿童的需要?

1.1、3.1　关于孩子们的资讯有来自现成的评估材料的吗? 你如何利
　　　　　用这些材料?

1.2、3.2、5.2　你必须特别做什么来满足儿童的需要吗? 请描述你做
　　　　　　　了哪些事。

1.3、3.3、5.3　在协助制定如何满足儿童需要的方案上,你和儿童的家
　　　　　　　长有没有参与? 请说明。

5.1、7.1　介入服务,例如治疗,是如何处理的?

7.3　你有没有参与儿童的评估或介入方案的制定? 你的角色是什么?

家长与教师

不足		最低标准		良好		优良
1	2	3	4	5	6	7

项目(33):家长支援

1.1 没有给家长提供课程的书面资料。

1.2 不鼓励家长观察或参与儿童课程的活动。

3.1 给家长提供课程行政方面的书面资料(如费用、服务时间、上学的卫生规定)。*

3.2 就关于儿童的资讯家长和教师有一些交流(例如:非正式的沟通;有要求才召开的家长会;一些教养子女的资料)。

3.3 为父母或其他家庭成员提供一些参与儿童课程活动的可能性。*

3.4 家庭成员和教师之间的互动一般是正面和互相尊重的。

5.1 鼓励家长给孩子注册入学前先到孩子的班上观察。

5.2 让家长了解课程的教育理念和实践方法(例如:家长手册、纪律方针、活动介绍、新生家长会)。*

5.3 就关于儿童的资讯家长和教师之间有许多分享(例如:频繁的非正式沟通,所有儿童家长的定期会议,家长会,校园通讯,有关健康、安全和儿童发展的教养子女资讯)。

7.1 每年邀请家长对课程进行评价(如父母问卷、集体评估会议)。

7.2 需要时把家长转介给其他专业人士(例如:为了寻求特殊的教养子女帮助,解决儿童健康方面的问题)。*

7.3 家长与教师一起参与课程的决策(例如:董事会有家长代表)。

不足		最低标准		良好		优良
1	2	3	4	5	6	7

5.4　为鼓励家庭参与儿童的
课程活动提供各种途径
(例如:把庆祝生日的食
物带来中心,和儿童一
起吃午餐,参与家庭聚
餐)。

*注释:

3.1、5.2　资料必须便于家长理解。例如,如有需要,除母语外提供其
他语言的翻译。

3.3　"参与"意指要求家长方面积极地参与,不仅仅是分享讯息。要求
至少提供两种不同的可能性,才能得分。

7.2　即使从未有家长要求转介,但如果教师在访谈中显示他们在这方
面很有认识而且乐于提供这种服务,可以得分。

问题:

1.1、3.1、5.2　有没有给家长提供过任何有关课程的书面资料? 这些
资料包括哪些内容?

1.2、3.3、5.4　有没有什么途径让家长可以参与孩子的课堂活动? 请
举一些例子。

3.2、5.3　你和家长分享有关孩子的讯息吗? 如何分享? 多久分享

一次?

3.4　你和家长的关系通常是什么样的?

5.1　家长在孩子入学前可以参观上课吗? 如何进行?

7.1　家长参与课程评价吗? 如何参与? 多久参与一次?

7.2　当家长看起来有困难时,你会做什么? 如果答案不完整,则问:你
把他们介绍给其他专业人士寻求帮助吗?

7.3　家长参与课程的决策吗? 如何参与?

不足		最低标准		良好		优良
1	2	3	4	5	6	7

项目(34):教师个人需要支援

1.1 没有教师专用的空间(例如:没有另外设置的卫生间、休息室和存放个人物品的地方)。

1.2 没有提供时间让教师放下儿童处理个人需要(如没有休息时间)。

3.1 有另外设置的成人卫生间。

3.2 在儿童游戏空间以外的地方有一些成人使用的家具。

3.3 有一些存放个人物品的地方。

3.4 教师每天至少有一次休息。*

3.5 为目前在机构工作的残障教师作出调整,满足他们的需要。
可评"不适用"

5.1 休息室设有成人用的家具;休息室可以两用(如用作办公室、会议室)。

5.2 方便的个人储物设备,必要时有安全配套措施。*

5.3 每日有上午、下午及午餐的休息时间。*

5.4 为教师提供吃午饭和点心的设备(如冰箱、厨房用具)。

5.5 为满足残障教师的需要作出了调整,即使目前没有残障人士在职。*

7.1 有另外设置的成人休息室(非两用)。

7.2 休息室设有舒适的成人家具。

7.3 教师可决定自己的弹性休息时间。

* 注释：

3.4 应为一天工作 8 小时的教师提供每天至少 15 分钟的休息。

5.2 如果教师不需要离开教室或忽略儿童的照顾就能取放他们的个人物品,储物设备才算是"方便"的。

5.3 这些要求按一天工作 8 小时计算。如工时较短,应作出调整。任何教师如每天工作至少 8 小时,应在上午和下午各有 15 分钟的休息,并且中午有 1 小时午餐时间。

5.5 有关设施和至少 1 个成人卫生间的无障碍程度必须符合项目 1 "室内空间"注释中申明的要求,才可得分。

问题：

1.2、3.4、5.3 一天中你有休息时间可以放下儿童吗？ *如答"有",则问：在什么时候？*

3.3、5.2 你的个人物品,如外套或钱包,平时放在哪里？ 存放方便吗？

不足		最低标准		良好		优良
1	2	3	4	5	6	7

项目(35):教师专业需要支援

1.1 没有电话可用。*	3.1 使用电话方便。*	5.1 有足够的文件夹和储物空间。	7.1 行政用的办公室设备齐全(例如:使用电脑、打印机、复印机、电话录音机)。
1.2 没有文件夹或储存教师材料的空间(例如:教师没有空间放置准备活动所需的材料)。	3.2 可使用一些文件夹和储物空间。	5.2 有行政用的独立办公室。*	7.2 有用来召开会议及举行个人面谈和小组聚会的空间,地点方便,环境舒适,而且与儿童的活动空间分开。
1.3 儿童在园时,没有空间可用来召开个别会议。	3.3 儿童在园时,有一些空间可用来召开个别会议。	5.3 有合适的空间用来召开会议及举行成人小组聚会(例如:安排场地时不会因为一地两用或多用而变得困难,私隐得到保证,提供适合成人使用的家具)。	

[*] 注释：

1.1　电话不必安装在教室内,但必须可以随时使用。如电话设在另一栋楼或另一层楼,又或在一个上了锁的办公室,而且不能随时使用,评"是"。

3.1　这指标如要得分,教室内必须装有电话,以便紧急时通知家长或与他们作简短交谈之用。如有手机可用,也可接受。

5.2　这指标如要得分,则办公室必须设在机构内,上课时间开放,并为课程提供行政服务。

问题：

1.1、3.1　你可以使用电话吗？电话在哪里？

1.2、3.2、5.1　你有任何文件夹和储物空间可用吗？我可以看看吗？

1.3、3.3、5.3、7.2　儿童在园时,有地方可以用来召开家长教师会或者举行成人小组聚会吗？我可以看看吗？

5.2、7.1　为课程的行政人员设办公室了吗？我可以看看吗？

不足		最低标准		良好		优良
1	2	3	4	5	6	7

项目(36):教师的互动与合作 *

1.1 教师之间没有为了满足儿童需要而交流必要的资讯(例如:没有传达儿童早退的讯息)。

1.2 人际关系干扰了照料的职责(例如:教师因交际而忽略照料儿童;或者彼此不和,言谈生硬)。

1.3 教师的工作分配不公平(例如:一位教师承担了大部分工作,而另一位却相对清闲)。

3.1 教师就一些满足儿童需要的基本资讯进行沟通(例如:所有教师都知道儿童是否有过敏症、特殊的喂食指示、健康状况)。

3.2 教师间的人际关系没有影响照料的职责。

3.3 教师的工作分配公平。

5.1 教师每天交流有关儿童的资讯(例如:关于特定儿童的照料及游戏活动的开展情况)。

5.2 教师之间的互动是正面的,予人温馨和互勉的感觉。

5.3 教师分担工作,使照料和游戏活动都能顺利进行。

7.1 至少隔周一次,同组或同班的教师利用不用照料儿童的时间,一起举行定期会议,制定计划。

7.2 每一位教师的职责明确(例如:当一位教师迎接入园的儿童时,另一位教师摆出游戏的材料;当一位教师结束监督午餐的工作时,另一位教师为儿童的午睡作准备)。

7.3 机构促进教师间的正面互动(例如:组织社交活动,鼓励教师集体参加专业会议)。*

注释：

项目(36)：如果你所观察的班级有两位或以上的教师，即使他们不是同
时在班上工作，也可进行评分。如果所观察的班级只有1位教师，
这项目便应评为"不适用"。

7.3　如果班级教师报告说机构鼓励一年至少举办两次社交活动，指标
可以得分。

问题：

1.1、3.1、5.1　你有没有机会跟同班工作的教师分享关于儿童的资讯？
这种分享如何展开？多久进行一次？你们会讨论些什么内容？

7.1　你和你的合作教师有没有一起制定计划的时候？多久进行一次？

7.2　你和同班的教师如何分配各自的工作？

7.3　机构有没有组织活动让你和其他教师一起参加？可否请你举些
例子？多久组织一次？

不足		最低标准		良好		优良
1	2	3	4	5	6	7

项目(37):教师的连续性

1.1 没有一个固定的人员负责照顾儿童;儿童必须适应许多不同的教师(例如:儿童经常从一个班转到另一个教师负责的班,许多不同的教师带同一个班,教师的流动性大)。*

1.2 大多数儿童一年转换班级超过两次(例如:从婴儿班转到学步儿初班,然后再转到学步儿班;班级频繁重组以符合师生比例和注册要求)。

1.3 班级和教师的转换来得突然,儿童缺乏准备(例如:转换前没有时间与新教师见面,没有时间让儿童慢慢适应新的日常程序或课室)。

3.1 每天以1—2位固定的教师带同一个班,从而提供连续性(例如:班主任经常出席,还有几位不同的助理;班主任和助理安排作息,因此他们总有一位在活动室里)。

3.2 儿童一年内很少转换班级或教师超过两次。

3.3 为儿童转换班级或教师作出一些适应的安排。

3.4 由不认识儿童和课程的代课教师负责一个班这种情形,即使有也很少见。

5.1 除固定的教师外,只有少数人(2—3位)与儿童在一起工作(例如:义工或实习生的人数有限,班级常用同一位"流动教师")。

5.2 儿童的教师与班级通常至少维持一年不变。

5.3 儿童逐步适应新班级或新教师,且一路有熟悉的成人相伴(例如:在熟悉的教师陪伴下,儿童会到新的班级去作短暂的游戏,为期数周;家长带儿童参观新班级;新教师在熟悉的教师离开前带班上课)。

7.1 由1名指定的教师主要照料一小组儿童(例如:大多数日常活动由儿童最喜欢的教师负责,由照料儿童的主要教师设计活动及与家长联系)。

7.2 儿童可以选择让同一位教师照料,以及留在同一个班级超过1年。

7.3 教师人手充足,因此只让机构本身的教师代课(例如:"流动教师"可充当代课教师而不影响师生比例)。

不足		最低标准		良好		优良
1	2	3	4	5	6	7

1.4 经常聘用不认识儿童或
课程的代课教师。*

5.4 有一组对儿童和课程都
熟悉的固定代课教师随
时可以效劳。

* 注释:

1.1 如果没有至少 1 位固定人员负责照料儿童半天以上,而且儿童必
须每天或每周适应不同的照料者,评"是"。

1.4 "经常"是指至少有 75% 的时间聘用代课教师。

问题:

1.1、3.1、5.1 每天有多少位教师跟这个班一起工作? 这个班的主要
教师是哪几位?

1.2、3.2、5.2 如何对儿童进行分班? 儿童多久转换班级一次?

1.3、3.3、5.3 如何处理转班的事宜?

1.4、3.4、5.4、7.3 多久需要用到一次代课教师? 谁来担任代课教师?
如何准备让他们担当这项工作?

7.2 一个儿童可以追随同一位教师或待在同一个班超过一年吗?

不足		最低标准		良好		优良
1	2	3	4	5	6	7

项目(38):教师督导与评价 *

1.1 不对教师进行督导。*

1.2 不对教师的表现反馈或评价。

3.1 对教师进行一些督导(例如:主任进行非正式视察,遭到投诉时才进行视察)。

3.2 对教师的表现提供一些反馈。*

5.1 每年一次的督导性视察。

5.2 每年对教师的表现至少作一次书面评价,与教师交流。

5.3 评价中指出教师的优点及需要改进的地方。

5.4 采取行动落实评价中的建议(例如:提供培训以提升表现;如有需要即购置新的材料)。

7.1 教师参与自我评价。*

7.2 除年度视察外,还经常对教师进行观察并给予反馈。

7.3 视察后以帮助、勉励的方式提出反馈意见。

*注释：

项目(38)：当课程由一人负责,没有其他教师时,这项目才能评为"不
　　　适用"。

1.1　评分所需的资料应由接受监督的教师提供,而不是督导者。除非
　　　班级教师不知道你所问的答案,才向督导者查询。

3.2　反馈可以是口头的或书面的,在"最低标准"这个水平,反馈可能
　　　相当笼统。

7.1　教师至少要每年自我评价一次,才可得分。

问题：

1.1、3.1、5.1、5.2　你的工作有没有受到监督? 做法如何?

1.2、3.2、5.2、7.3　你收到过对你工作表现的反馈信息吗? 是如何反
　　　馈的? 多久反馈一次?

5.4　如果有地方需要教师改进,如何进行?

7.1　你参加过自我评价吗? *如答"是",则问*:多久进行一次?

不足		最低标准		良好		优良
1	2	3	4	5	6	7

项目(39):专业发展机会*

1.1 教师没有入职辅导或在职培训。

1.2 不召开教师会议。

3.1 新教师入职前接受一些辅导,包括处理紧急事故、安全和健康事项等的程序。*

3.2 提供一些在职培训。*

3.3 召开一些教师会议,处理行政事务。*

5.1 给新教师提供详细的入职辅导,内容包括与幼儿及家长的互动、执行纪律的方法、合适的活动等。

5.2 要求教师定期参加在职培训(例如:参加社区工作坊;采用嘉宾演讲或录影的方式在机构内进行培训)。*

5.3 每月召开教师会议,其中包括教师发展的活动。

5.4 机构提供一些专业资源材料(例如:有关儿童发展、文化敏感度和课堂活动的图书、杂志,或其他材料;教师可以从图书馆借来参考)。*

7.1 支持教师参加外面举办的课程、会议或工作坊(例如:提供休假、旅行费用、会务费)。

7.2 机构设有良好的专业图书馆,藏有关于早期教育各种问题的最新资料。*

7.3 要求学历低于早期教育AA学位的教师继续进修(例如:攻读 GED、CDA、AA 等学位课程)。*
可评"不适用"

*注释:

项目(39):评分所需的资料应由班级教师提供,而不是督导者。除非班级教师不知道你所问的答案,才向督导者查询。

3.1 指标如要得分,基本的入职辅导应于就职后 6 星期内进行,内容最少包括处理紧急事故、健康和安全事项等的程序。

3.2 如要得分,所有教师都须参加的在职培训应至少每年举办 1 次。

3.3 如要得分,所有教师都须参加的教师会议必须每年至少召开 2 次,由主任及/或行政人员主持。

5.2 所有教师都须参加的在职培训必须每年至少进行 2 次,在机构内或社区工作坊举行。

5.4 "一些"指至少要有 25 份完好的图书、小册子或视听材料可供教师使用。

7.2 "最新资料"是指最近 10 年内出版的图书和最近两年出版的期刊杂志。诸如皮亚杰(Piaget)和埃里克森(Erikson)等学者的著作不在此限,因为它们都是经典,我们许多当前的观点都源出于此。机构必须拥有至少 60 本书,以及 3 种期刊,指标才可得分。

7.3 AA/AS 学位 = Associate of Arts or Science(两年制学位)
CDA 资格 = Child Development Associate(一年制课程)
GED = General Equivalent Degree(与高中同等)

问题:

1.1、3.1、3.2、5.1、5.2 机构有没有为教师提供什么培训? 请描述这些培训。为新教师又做了些什么?

1.2、3.3、5.3 你们召开教师会议吗? 大约多久一次? 会议上通常处理什么事务?

5.4、7.2 寻找新主意的时候,机构内有无任何资源可供使用? 如答"有",则问:包括哪些资源? 我可以看看吗?

7.1 机构有没有提供任何支援,让你可以参加会议或课程? 请描述这些支援。

7.3 对学历低于 AA 学位的教师,机构要求他们继续进修吗? 请说明这些要求。

填写评分表与概览示例

样本评分表:观察 1,2002 年 8 月 6 日

聆听与说话

12. 帮助儿童理解语言　1 2 ③ 4 5 6 7

	Y	N		Y	N		Y	N		Y	N
1.1	☐	☑	3.1	☑	☐	5.1	☑	☐	7.1	☐	☐
1.2	☐	☑	3.2	☑	☐	5.2	☐	☑	7.2	☐	☐
1.3	☐	☑	3.3	☑	☐	5.3	☐	☑	7.3	☐	☐
			3.4	☑	☐	5.4	☐	☑			

频繁的社交对话:"我的小朋友好吗?""这么可爱的小女孩呀!"很少称呼儿童的姓名。物品上没有标签。

13. 帮助儿童使用语言　1 2 ③ 4 5 6 7

	Y	N		Y	N		Y	N		Y	N	NA
1.1	☐	☑	3.1	☑	☐	5.1	☐	☑	7.1	☐	☐	
1.2	☐	☑	3.2	☑	☐	5.2	☐	☑	7.2	☐	☐	☐
						5.3	☐	☑	7.3	☐	☐	
									7.4	☐	☐	

大约有 30% 的时间看到久候的婴儿在哭。没有口头上的回应。

14. 图书的使用　1 2 3 4 ⑤ 6 7

	Y	N		Y	N		Y	N		Y	N	NA
1.1	☐	☑	3.1	☑	☐	5.1	☑	☐	7.1	☐	☐	☑
1.2	☐	☑	3.2	☑	☐	5.2	☑	☐	7.2	☐	☐	☑
1.3	☐	☑	3.3	☑	☐	5.3	☑	☐	7.3	☐	☐	☑
			3.4	☑	☐	5.4	☑	☐				

有 17 本图书可以取用。1 位教师给 3 名感兴趣的儿童随意诵读图书。

A. 子量表(项目 12—14)得分 11

B. 完成评分的项目数量 3
"聆听与说话"平均分(A÷B)3.67

样本评分表:观察 2,2002 年 11 月 8 日

聆听与说话

12. 帮助儿童理解语言　1 2 3 4 5 ⑥ 7

	Y	N		Y	N		Y	N		Y	N
1.1	☐	☑	3.1	☑	☐	5.1	☑	☐	7.1	☐	☑
1.2	☐	☑	3.2	☑	☐	5.2	☑	☐	7.2	☑	☐
1.3	☐	☑	3.3	☑	☐	5.3	☑	☐	7.3	☐	☑
			3.4	☑	☐	5.4	☑	☐			

"莎拉,你的杯子在这里。你正拿着它呢!""南森,把球拿来。它正在滚呢!"有许多像例子这样的话语。

13. 帮助儿童使用语言　1 2 3 4 ⑤ 6 7

	Y	N		Y	N		Y	N		Y	N	NA
1.1	☐	☑	3.1	☑	☐	5.1	☑	☐	7.1	☐	☑	
1.2	☐	☑	3.2	☑	☐	5.2	☑	☐	7.2	☐	☑	☐
						5.3	☑	☐	7.3	☑	☐	
									7.4	☐	☑	

很少提问。大多数的时间是教师在说话。没留意一个使用单字句子的儿童。经常及时地回应。

14. 图书的使用　1 2 3 4 ⑤ 6 7

	Y	N		Y	N		Y	N		Y	N	NA
1.1	☐	☑	3.1	☑	☐	5.1	☑	☐	7.1	☑	☐	☐
1.2	☑	☐	3.2	☑	☐	5.2	☑	☐	7.2	☑	☐	
1.3	☐	☐	3.3	☑	☐	5.3	☑	☐	7.3	☐	☐	
			3.4	☑	☐	5.4	☑	☐				

没有为 12 个月以上的儿童设立图书角。指标 7.3 教师报告。

A. 子量表(项目 12—14)得分 16

B. 完成评分的项目数量 3
"聆听与说话"平均分(A÷B)5.33

概览举例

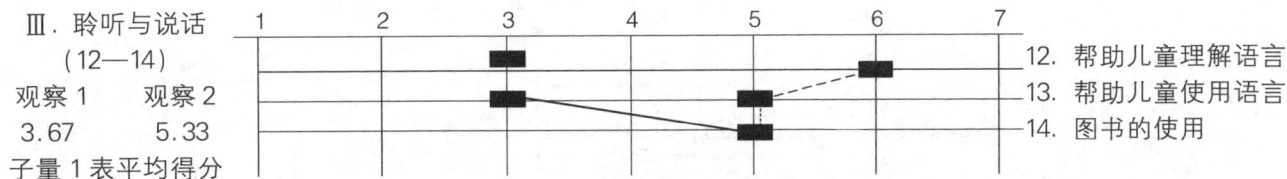

Ⅲ. 聆听与说话		1	2	3	4	5	6	7	
（12—14）									12. 帮助儿童理解语言
观察 1	观察 2								13. 帮助儿童使用语言
3.67	5.33								14. 图书的使用
子量 1 表平均得分									

评分表（扩展版）
《婴儿学习环境评量表（修订版）》

希尔玛·哈姆斯　黛比·克莱尔　理查德·M·克利福德

观察员：　　　　　　　　观察员编号：　　　　观察日期：　　　　　　　　　　　　　　　　　（日）（月）（年）

中心/学校：　　　　　　　机构编号：　　　　　已鉴定残障儿童人数：

班级：　　　　　　　　　　班级编号：　　　　　残障类型：　　　　□ 身体/知觉　　□ 认知/语言

教师：　　　　　　　　　　教师编号：　　　　　　　　　　　　　□ 社交/情绪　　□ 其他：

在园儿童出生日期：　最小　　　　　　　　　　（日）（月）（年）

在场教师人数：　　　　　　　　　　　　　　　　　　　　　　　最大　　　　　　　　　　（日）（月）（年）

班级注册儿童人数：　　　　　　　　　　　　　观察开始时间：　　　　　　□ 上午　　　□ 下午

中心规定一班最多人数：　　　　　　　　　　　观察结束时间：　　　　　　□ 上午　　　□ 下午

观察期间在场儿童的最多人数：　　　　　　　　访谈开始时间：　　　　　　□ 上午　　　□ 下午

访谈结束时间：　　　　　　□ 上午　　　□ 下午

空间与设施	
1. 室内空间　1　2　3　4　5　6　7 　　Y N　　Y N NA　　Y N　　Y N 1.1 □ □　3.1 □ □　5.1 □ □　7.1 □ □ 1.2 □ □　3.2 □ □　5.2 □ □　7.2 □ □ 1.3 □ □　3.3 □ □　5.3 □ □　7.3 □ □ 1.4 □ □　3.4 □ □ 　　　　3.5 □ □ □	3.5,5.3　可取用程度:
2. 日常照料和游戏的设施　1　2　3　4　5　6　7 　　Y N　　Y N　　Y N NA　　Y N NA 1.1 □ □　3.1 □ □　5.1 □ □　7.1 □ □ 1.2 □ □　3.2 □ □　5.2 □ □　7.2 □ □ □ 1.3 □ □　3.3 □ □　5.3 □ □　7.3 □ □ 　　　　3.4 □ □　5.4 □ □　7.4 □ □ 　　　　　　　5.5 □ □	5.2,7.2　儿童尺寸的桌子及椅子?
3. 休闲及舒适的设施　1　2　3　4　5　6　7 　　Y N　　Y N　　Y N　　Y N NA 1.1 □ □　3.1 □ □　5.1 □ □　7.1 □ □ 　　　　3.2 □ □　5.2 □ □　7.2 □ □ □ 　　　　　　　5.3 □ □　7.3 □ □	3.1　设施: 5.1　舒适区?（有/没有） 3.2,5.3　毛绒玩具数目:

4. 房间规划	1　　2　　3　　4　　5　　6　　7	1.2, 3.2, 5.2　监察的问题
	Y N　　Y N NA　　Y N　　Y N	
	1.1□□　3.1□□　5.1□□　7.1□□	
	1.2□□　3.2□□　5.2□□　7.2□□	
	3.3□□□　5.3□□　7.3□□	
	5.4□□	
5. 儿童陈列品	1　　2　　3　　4　　5　　6　　7	5.4　老师谈及陈列品？（举1例）
	Y N　　Y N　　Y N　　Y N NA	
	1.1□□　3.1□□　5.1□□　7.1□□	
	1.2□□　3.2□□　5.2□□　7.2□□	
	5.3□□　7.3□□	
	5.4□□　7.4□□□	

A. 子量表（项目 1—5）总分：	B. 完成评分的项目：	"空间与设施"平均分（A÷B）：

6. 入园/离园	1　　2　　3　　4　　5　　6　　7	1.1, 3.1, 3.4, 5.1, 7.2　观察到打招呼(✓ = 是，✕ = 否，W = 亲切)
	Y　N　　　Y　N　　　Y　N　NA　　　Y　N　NA	儿童　　　　　家长　　　　　交流资讯
	1.1 ☐ ☐　　3.1 ☐ ☐　　5.1 ☐ ☐　　7.1 ☐ ☐	1. _____
	1.2 ☐ ☐　　3.2 ☐ ☐　　5.2 ☐ ☐　　7.2 ☐ ☐	2. _____
	1.3 ☐ ☐　　3.3 ☐ ☐　　5.3 ☐ ☐ ☐　　7.3 ☐ ☐ ☐	3. _____
	3.4 ☐ ☐	4. _____
		5. _____
		6. _____
		7. _____
		8. _____

7. 正餐/点心	1　　2　　3　　4　　5　　6　　7	1.3, 3.3, 5.3 洗手 (✓ = 是，✕ = 否)	1.3, 3.3, 5.3　使用同一水槽(是/否) 水槽已消毒?(是/否)
	Y　N　NA　　　Y　N　NA　　　Y　N　NA　　　Y　N	儿童　　　成人	
	1.1 ☐ ☐　　3.1 ☐ ☐　　5.1 ☐ ☐　　7.1 ☐ ☐		桌子及高脚椅子上的托盘已清洗消毒(是/否)
	1.2 ☐ ☐　　3.2 ☐ ☐　　5.2 ☐ ☐　　7.2 ☐ ☐	进食前 | 准备食物及喂食前	
	1.3 ☐ ☐　　3.3 ☐ ☐　　5.3 ☐ ☐		
	1.4 ☐ ☐　　3.4 ☐ ☐　　5.4 ☐ ☐	进食后 | 喂食后	
	1.5 ☐ ☐ ☐　　3.5 ☐ ☐ ☐　　5.5 ☐ ☐ ☐		

8. 午睡	1　　2　　3　　4　　5　　6　　7	1.1　婴儿床/垫子/小床之间相距超过36英寸(91厘米)，或以实物间隔?(是/否) 其他问题:
	Y　N　　　Y　N　　　Y　N　NA　　　Y　N	
	1.1 ☐ ☐　　3.1 ☐ ☐　　5.1 ☐ ☐　　7.1 ☐ ☐	
	1.2 ☐ ☐　　3.2 ☐ ☐　　5.2 ☐ ☐ ☐　　7.2 ☐ ☐	
	1.3 ☐ ☐　　3.3 ☐ ☐　　5.3 ☐ ☐	
	3.4 ☐ ☐	

9. 换尿片/如厕　1　2　3　4　5　6　7	1.1,3.1　成人都遵守换尿片程序(√ = 是,× = 否)								其他问题
Y N　　Y N　　Y N　　　Y N NA	准备								1.1,3.1　多用途水槽已消毒?(是/否)
1.1□□　3.1□□　5.1□□　7.1□□	正当的弃置								1.3,3.3　洗手
1.2□□　3.2□□　5.2□□　7.2□□□□	擦拭儿童的手								成人
1.3□□　3.3□□　5.3□□　7.3□□□	擦拭成人的手								儿童
1.4□□　3.4□□　5.4□□	消毒换尿片区								
	消毒多用途水槽								

10. 卫生措施　1　2　3　4　5　6　7	1.1,3.2,5.2　洗手观察(√ = 是,× = 否)	儿童	成人
Y N　　Y N NA　　Y N NA　　Y N NA			
1.1□□　3.1□□　5.1□□　7.1□□	抵达教室或从外面再进教室时		
1.2□□　3.2□□　5.2□□　7.2□□□	玩水前;玩沙、玩水及玩会弄脏的游戏之后		
1.3□□　3.3□□　5.3□□　7.3□□	处理体液之后		
3.4□□□　5.4□□□	触摸宠物或污染物之后		

11. 安全措施　1　2　3　4　5　6　7	1.1,1.2,3.1,5.1　安全威胁:	重大的	轻微的
Y N　　Y N　　Y N　　Y N			
1.1□□　3.1□□　5.1□□　7.1□□	室内		
1.2□□　3.2□□　5.2□□　7.2□□			
1.3□□　3.3□□	户外		

A. 子量表(项目6—11)总分:	B. 完成评分的项目:	"个人日常照料"平均分(A÷B):

						聆听与说话		

12. 帮助儿童理解语言	1　2　3　4　5　6　7		3.1,5.1　在日常照料过程中: 在游戏过程中:	
	Y N　　　Y N　　　Y N　　　　Y N		5.4,7.1　使用描述性词语举例:	
1.1 ☐ ☐　3.1 ☐ ☐　5.1 ☐ ☐　7.1 ☐ ☐				
1.2 ☐ ☐　3.2 ☐ ☐　5.2 ☐ ☐　7.2 ☐ ☐			7.2　观察到的语言游戏举例:	
1.3 ☐ ☐　3.3 ☐ ☐　5.3 ☐ ☐　7.3 ☐ ☐				
3.4 ☐ ☐　5.4 ☐ ☐				

13. 帮助儿童使用语言	1　2　3　4　5　6　7		7.2　教师把更多的词语和想法加入儿童的话语之中(举两个观察到的例子):	
	Y N　　　Y N　　　Y N　　　Y N NA			
1.1 ☐ ☐　3.1 ☐ ☐　5.1 ☐ ☐　7.1 ☐ ☐			7.3　教师向儿童提简单的问题(举两个观察到的例子):	
1.2 ☐ ☐　3.2 ☐ ☐　5.2 ☐ ☐　7.2 ☐ ☐ ☐				
5.3 ☐ ☐　7.3 ☐ ☐				
7.4 ☐ ☐				

14. 图书的使用	1　2　3　4　5　6　7	1.2,3.2　保养不佳的图书数目: 5.1　有没有不适当的图书:(有/没有) 　　　(暴力、恐怖) 5.3　老师给个别或小组儿童朗读图书 (是/否)(最少举1个观察到的例子)	5.2　图书内容广泛 种族: 年龄: 能力: 动物: 熟悉的日常活动: 熟悉的东西: 自然科学书(项目22):
	Y N　　　Y N　　　Y N　　　Y N NA		
1.1 ☐ ☐　3.1 ☐ ☐　5.1 ☐ ☐　7.1 ☐ ☐ ☐			
1.2 ☐ ☐　3.2 ☐ ☐　5.2 ☐ ☐　7.2 ☐ ☐			
1.3 ☐ ☐　3.3 ☐ ☐　5.3 ☐ ☐　7.3 ☐ ☐			
3.4 ☐ ☐　5.4 ☐ ☐			

A. 子量表(项目12—14)总分:	B. 完成评分的项目:	"聆听与说话"平均分(A÷B):

活动									

15. 小肌肉活动	1	2	3	4	5	6	7		1.1, 3.1, 5.1 婴儿用的材料：
	Y N		Y N		Y N		Y N		
1.1 ☐ ☐		3.1 ☐ ☐		5.1 ☐ ☐		7.1 ☐ ☐			
1.2 ☐ ☐		3.2 ☐ ☐		5.2 ☐ ☐		7.2 ☐ ☐			幼儿用的材料：
		3.3 ☐ ☐							

16. 动态体能游戏	1	2	3	4	5	6	7		1.1, 1.2, 3.3, 5.5 任何不合适/不安全的器材/材料？
	Y N		Y N		Y N		Y N		
1.1 ☐ ☐		3.1 ☐ ☐		5.1 ☐ ☐		7.1 ☐ ☐			
1.2 ☐ ☐		3.2 ☐ ☐		5.2 ☐ ☐		7.2 ☐ ☐			不合适的室内/户外空间：
1.3 ☐ ☐		3.3 ☐ ☐		5.3 ☐ ☐		7.3 ☐ ☐			
				5.4 ☐ ☐					
				5.5 ☐ ☐					

17. 美术	1	2	3	4	5	6	7	NA	1.2 使用有毒/不安全的材料？（是/否）
	Y N		Y N NA		Y N NA		Y N		3.2 使用合适/安全/无毒的美术材料？
1.1 ☐ ☐		3.1 ☐ ☐ ☐		5.1 ☐ ☐ ☐		7.1 ☐ ☐			
1.2 ☐ ☐		3.2 ☐ ☐		5.2 ☐ ☐		7.2 ☐ ☐			
		3.3 ☐ ☐		5.3 ☐ ☐					

18. 音乐与律动	1　2　3　4　5　6　7	3.1,5.1　音乐玩具/乐器数目清单：
Y N　　　Y N　　　　Y N　　　　　Y N		
1.1 □ □　3.1 □ □　5.1 □ □　7.1 □ □		5.2　观察到非正式的唱歌？（有/没有）
1.2 □ □　3.2 □ □　5.2 □ □　7.2 □ □		
3.3 □ □　5.3 □ □　7.3 □ □		
5.4 □ □		

19. 积木	1　2　3　4　5　6　7	3.1,5.1,7.1　套装积木数目：
Y N　　　Y N　　　　Y N　　　　　Y N		1)
		2)
1.1 □ □　3.1 □ □　5.1 □ □　7.1 □ □		3)
3.2 □ □　5.2 □ □　7.2 □ □		3.2,7.2　配套玩具：
3.3 □ □　5.3 □ □　7.3 □ □		

20. 角色游戏	1　2　3　4　5　6　7	5.1　角色游戏材料

		婴幼儿通用	只供幼儿使用
Y N　　　Y N　　　　Y N NA　　　　　Y N NA			
1.1 □ □　3.1 □ □　5.1 □ □　7.1 □ □		玩偶——	打扮用的服装——
3.2 □ □　5.2 □ □　7.2 □ □ □		毛绒动物——	儿童尺寸的游戏家具——
5.3 □ □　7.3 □ □		玩具电话——	游戏食物——
5.4 □ □ □		烹饪器具——	碟子/进食用具——
			玩偶家具——
			小游戏建筑物和配套道具——

21. 玩沙和玩水	1　2　3　4　5　6　7　NA	
	Y　N　　　Y　N　　　Y　N　　　Y　N	
	1.1 ☐ ☐　　3.1 ☐ ☐　　5.1 ☐ ☐　　7.1 ☐ ☐	
	3.2 ☐ ☐　　5.2 ☐ ☐　　7.2 ☐ ☐	
	3.3 ☐ ☐　　5.3 ☐ ☐	

22. 自然/科学	1　2　3　4　5　6　7	5.3　日常活动中观察得到的自然/科学例子：
	Y　N　　　Y　N　　　Y　N　　　Y　N	
	1.1 ☐ ☐　　3.1 ☐ ☐　　5.1 ☐ ☐　　7.1 ☐ ☐	
	1.2 ☐ ☐　　3.2 ☐ ☐　　5.2 ☐ ☐　　7.2 ☐ ☐	
	3.3 ☐ ☐　　5.3 ☐ ☐	

23. 电视、录影及/或电脑的使用	1　2　3　4　5　6　7　NA	
	Y　N　NA　　　Y　N　　　Y　N　　　Y　N	
	1.1 ☐ ☐　　3.1 ☐ ☐　　5.1 ☐ ☐　　7.1 ☐ ☐	
	1.2 ☐ ☐　　3.2 ☐ ☐　　5.2 ☐ ☐　　7.2 ☐ ☐	
	1.3 ☐ ☐ ☐　3.3 ☐ ☐　　5.3 ☐ ☐	

24. 促进接受多元性　1　2　3　4　5　6　7

Y　N　　　Y　N　　　Y　N　　　Y　N

1.1 ☐ ☐　　3.1 ☐ ☐　　5.1 ☐ ☐　　7.1 ☐ ☐
1.2 ☐ ☐　　3.2 ☐ ☐　　5.2 ☐ ☐　　7.2 ☐ ☐
1.3 ☐ ☐　　3.3 ☐ ☐

5.1　材料的多元性（10 个例子，所有种类）：

	图书	图片	材料
种族/文化			
年龄			
能力			
性别			

5.2　玩偶（3 种不同肤色/面部特征）：

7.1　不含性别歧视的图像：

7.2　各式各样的活动：

A. 子量表（项目 15—24）总分：　　　B. 完成评分的项目：　　　"活动"平均分（A÷B）：

113

互动		
25. 游戏与学习的管理	1　2　3　4　5　6　7	
	Y N　　Y N　　　Y N　　　Y N	
	1.1 □ □　3.1 □ □　5.1 □ □　7.1 □ □	
	3.2 □ □　5.2 □ □　7.2 □ □	
	5.3 □ □　7.3 □ □	
	5.4 □ □	
26. 同伴互动	1　2　3　4　5　6　7	7.1　老师对行为/用意/感受作出解释(举2例)
	Y N　　Y N　　　Y N　　　Y N	
	1.1 □ □　3.1 □ □　5.1 □ □　7.1 □ □	7.2　谈论正面的社会性互动(举1例)
	1.2 □ □　3.2 □ □　5.2 □ □　7.2 □ □	
27. 师生互动	1　2　3　4　5　6　7	
	Y N　　Y N　　　Y N　　　Y N	
	1.1 □ □　3.1 □ □　5.1 □ □　7.1 □ □	
	1.2 □ □　3.2 □ □　5.2 □ □　7.2 □ □	
	1.3 □ □　3.3 □ □　5.3 □ □	
	3.4 □ □	

28. 纪律	1　2　3　4　5　6　7	
Y　N	Y　N　　Y　N　　Y　N	
1.1 ☐ ☐	3.1 ☐ ☐　5.1 ☐ ☐　7.1 ☐ ☐	
1.2 ☐ ☐	3.2 ☐ ☐　5.2 ☐ ☐　7.2 ☐ ☐	
	3.3 ☐ ☐　5.3 ☐ ☐　7.3 ☐ ☐	
	5.4 ☐ ☐	

A. 子量表(项目 25—28)总分：	B. 完成评分的项目：	"互动"平均分(A÷B)：

课程结构								

29. 日常程序	1　2　3　4　5　6　7	5.4　等待超过3分钟,或等待时表现出明显不安的情绪的例子:
Y　N　　Y　N　　　Y　N　　　Y　N		
1.1 □ □　　3.1 □ □　　5.1 □ □　　7.1 □ □		
1.2 □ □　　3.2 □ □　　5.2 □ □　　7.2 □ □		
1.3 □ □　　　　　　　5.3 □ □		
5.4 □ □		

30. 自由游戏	1　2　3　4　5　6　7	7.1　监管作为教育性互动(举2例):
Y　N　　Y　N　　　Y　N　　　Y　N		
1.1 □ □　　3.1 □ □　　5.1 □ □　　7.1 □ □		
1.2 □ □　　3.2 □ □　　5.2 □ □　　7.2 □ □		
3.3 □ □　　5.3 □ □		

31. 集体游戏活动	1　2　3　4　5　6　7	
Y　N　　Y　N　　　Y　N　　　Y　N　N A		
1.1 □ □　　3.1 □ □　　5.1 □ □　　7.1 □ □		
1.2 □ □　　3.2 □ □　　5.2 □ □　　7.2 □ □		
1.3 □ □　　3.3 □ □　　5.3 □ □		

32. 残障儿童支援	1　2　3　4　5　6　7	
Y　N　　Y　N　　　Y　N　　　Y　N　N A		
1.1 □ □　　3.1 □ □　　5.1 □ □　　7.1 □ □		
1.2 □ □　　3.2 □ □　　5.2 □ □　　7.2 □ □		
1.3 □ □　　3.3 □ □　　5.3 □ □　　7.3 □ □		
1.4 □ □　　3.4 □ □		

A. 子量表(项目29—32)总分:	B. 完成评分的项目:	"课程结构"平均分(A÷B):

家长与教师								

33. 家长支援	1	2	3	4	5	6	7	
Y N	Y N		Y N		Y N			
1.1 □ □	3.1 □ □		5.1 □ □		7.1 □ □			
1.2 □ □	3.2 □ □		5.2 □ □		7.2 □ □			
	3.3 □ □		5.3 □ □		7.3 □ □			
	3.4 □ □		5.4 □ □					

34. 教师个人需要支援	1	2	3	4	5	6	7	
Y N	Y N NA		Y N		Y N			
1.1 □ □	3.1 □ □		5.1 □ □		7.1 □ □			
1.2 □ □	3.2 □ □		5.2 □ □		7.2 □ □			
	3.3 □ □		5.3 □ □		7.3 □ □			
	3.4 □ □		5.4 □ □					
	3.5 □ □ □		5.5 □ □					

35. 教师专业需要支援	1	2	3	4	5	6	7	
Y N	Y N		Y N		Y N			
1.1 □ □	3.1 □ □		5.1 □ □		7.1 □ □			
1.2 □ □	3.2 □ □		5.2 □ □		7.2 □ □			
1.3 □ □	3.3 □ □		5.3 □ □					

36. 教师的互动与合作	1	2	3	4	5	6	7
Y　N		Y　N		Y　N		Y　N　NA	
1.1 ☐ ☐	3.1 ☐ ☐	5.1 ☐ ☐	7.1 ☐ ☐				
1.2 ☐ ☐	3.2 ☐ ☐	5.2 ☐ ☐	7.2 ☐ ☐				
1.3 ☐ ☐	3.3 ☐ ☐	5.3 ☐ ☐	7.3 ☐ ☐				
37. 教师的连续性	1	2	3	4	5	6	7
Y　N		Y　N		Y　N		Y　N	
1.1 ☐ ☐	3.1 ☐ ☐	5.1 ☐ ☐	7.1 ☐ ☐				
1.2 ☐ ☐	3.2 ☐ ☐	5.2 ☐ ☐	7.2 ☐ ☐				
1.3 ☐ ☐	3.3 ☐ ☐	5.3 ☐ ☐	7.3 ☐ ☐				
1.4 ☐ ☐	3.4 ☐ ☐	5.4 ☐ ☐					
38. 教师督导与评价	1	2	3	4	5	6	7
Y　N		Y　N		Y　N		Y　N　NA	
1.1 ☐ ☐	3.1 ☐ ☐	5.1 ☐ ☐	7.1 ☐ ☐				
1.2 ☐ ☐	3.2 ☐ ☐	5.2 ☐ ☐	7.2 ☐ ☐				
		5.3 ☐ ☐	7.3 ☐ ☐				
		5.4 ☐ ☐					

39. 专业发展机会	1　2　3　4　5　6　7
Y　N　　　Y　N　　　Y　N　　　　Y　N　NA	
1.1 □ □　　3.1 □ □　　5.1 □ □　　7.1 □ □	
1.2 □ □　　3.2 □ □　　5.2 □ □　　7.2 □ □	
3.3 □ □　　5.3 □ □　　7.3 □ □ □	
5.4 □ □	

A. 子量表(项目33—39)总分：	B. 完成评分的项目：	"家长与教师"平均分(A÷B)：

总分和平均分					
	子量表/总分	÷	完成评分的项目总数	=	平均分
空间与设施		÷		=	
个人日常照料		÷		=	
聆听与说话		÷		=	
活动		÷		=	
互动		÷		=	
课程结构		÷		=	
家长与教师		÷		=	
总计		÷		=	

《婴儿学习环境评量表（修订版）》(ITERS－R) 概览

中心/学校：＿＿＿＿＿＿＿

教师/班级：＿＿＿＿＿＿＿

观察 1：＿＿＿＿＿＿＿　观察员：＿＿＿＿＿＿＿　＿＿／＿＿／＿＿ (年)(月)(日)

观察 2：＿＿＿＿＿＿＿　观察员：＿＿＿＿＿＿＿　＿＿／＿＿／＿＿ (年)(月)(日)

I. 空间与设施 (1-5)

观察 1 □　观察 2 □

子量表的平均分 □

1. 室内空间
2. 日常照料和游戏的设施
3. 休闲及舒适的设备
4. 房间规划
5. 儿童陈列品

II. 个人日常照料 (6-11)

□ □

6. 入园/离园
7. 正餐/点心
8. 午睡
9. 换尿片/如厕
10. 卫生措施
11. 安全措施

III. 聆听与说话 (12-14)

□ □

12. 帮助儿童理解语言
13. 帮助儿童使用语言
14. 图书的使用

IV. 活动 (15-24)

□ □

15. 小肌肉活动
16. 动态体能游戏
17. 美术
18. 音乐与律动
19. 积木
20. 角色游戏
21. 玩沙和玩水
22. 自然/科学
23. 电视、录影及/或电脑的使用
24. 促进接受多元性

V. 互动 (25-28)

□ □

25. 游戏与学习的管理
26. 同伴互动
27. 师生互动
28. 纪律

VI. 课程结构 (29-32)

□ □

29. 日常程序
30. 自由游戏
31. 集体游戏活动
32. 残障儿童支援

VII. 家长与教师 (33-39)

□ □

33. 家长支援
34. 教师个人需要支援
35. 教师专业需要支援
36. 教师的互动与合作
37. 教师的连续性
38. 教师督导与评价
39. 专业发展机会

子量表的平均分 □

（量表评分栏：1　2　3　4　5　6　7）

空间与设施
个人日常照料
聆听与说话
活动
互动
课程结构
家长与教师

First Published by Teachers College Press, 1234 Amsterdam Avenue, New York, NY10027

Copyright © 2006 by Thelma Harms, Deborah Reid Cryer and Richard M. Clifford

太平洋区幼儿教育研究学会授权出版

上海市版权局著作权合同登记　图字:09－2014－251号